ADMINISTRACION
Un Enfoque Bíblico

MYRON RUSH

Prólogo por Alberto H. Mottesi

EDITORIAL
UNILIT

Publicado por
Editorial **Unilit**
Miami, Fl. U.S.A.
© 1989 Derechos reservados

Primera edición 1985
Segunda edición 1992

Derechos de autor ©1983 por SP Publications, Inc.
Publicado en inglés con el título de:
Management-A Biblical Approach por Victor Books, Wheaton. Illinois

Traducido al español por Alexander W. Arathoon
Cubierta diseñada por: Pat Morabito

Impreso en Colombia
Producto 490215
ISBN 1-56063-357-3
Printed in Colombia

Índice

Introducción   **5**

Prólogo   **7**

1.   Filosofía Bíblica de la Administración   **9**
2.   Tus Recursos más Valiosos   **19**
3.   Un Ambiente de Trabajo Provechoso   **29**
4.   El Espíritu de Equipo   **43**
5.   Las Buenas Relaciones de Trabajo   **58**
6.   Planeamiento   **74**
7.   Tomando Decisiones, Creando y Resolviendo Problemas   **92**
8.   Comunicaciones Eficaces   **108**
9.   Cómo y Cuándo Delegar Responsabilidad   **124**
10.   El Tiempo y su Distribución   **142**
11.   Las Actitudes y el Rendimiento   **160**
12.   Evaluación del Rendimiento   **174**
13.   Los conflictos en la Organización y su Solución   **189**
14.   Un Estilo de Liderazgo Efectivo   **204**
15.   El Papel del Dirigente Cristiano en la Sociedad   **219**

Algo acerca del autor

Myron D. Rush es el fundador y presidente de los "Sistemas de Adiestramiento de Gerentes": Firma consultora especializada en el adiestramiento a la medida y servicio de asesoramiento a empresas comerciales y a organizaciones cristianas. Es además, dueño a medias de las Industrias Sunlight Inc., una empresa fabricante de aparatos para el empleo de la energía solar.

El Sr. Rush es autor, asimismo, del libro titulado: "Haciendo Uso del Poder Creativo de los Empleados" que trata de la participación del proceso administrativo en la industria privada. El viaja por todos los Estados Unidos dirigiendo Seminarios Administrativos y Sesiones de Consulta que tratan de la aplicación de los principios bíblicos de la administración.

Su experiencia como gerente es muy grande. Ha formado parte de muchas corporaciones y de agencias federales como asesor administrativo, entre otros en el Departamento de Salud Pública, Educación y Bienestar Social en Washington, D.C.

Se graduó de Licenciado en Ciencias Sociales y Educación en la Universidad Estatal de Missouri. Ha sido profesor de diferentes cursos administrativos y de supervisión para el Departamento de Educación Continuada del Mesa College, del College de Eastern Utah y del Navajo Community College.

El Sr. Myron tiene su domicilio en Colorado Springs, Colorado, en unión de su esposa Lorraine y sus dos hijos, Delphine y Ron.

PROLOGO

¡Muy bienvenida la edición española de este magnífico libro!

¿Qué es lo que hace la diferencia entre una congregación pequeña en número y escasa en recursos, y que ha mantenido esa situación por años, con una congregación grande de impacto misionero y alcance evangelístico? ¿Cuál es el elemento que caracteriza a ministerios evangelísticos diferentes, y que los determina de alguna manera? La unción espiritual es vital. Lo mismo la centralidad de la Palabra. La santidad y la oración son claves. El estudio de la teología y lo relativo a la educación cristiana son muy importantes. Pero hay algo más en lo cual los hispanos nos hemos ocupado muy poco: ADMINISTRACION. Un ministerio fructífero depende primero de la bendición de Dios, y segundo de una adecuada administración.

Si nuestro trabajo va a prosperar necesitaremos metas y objetivos claros. Planes bien elaborados. Personal correctamente motivado y sabiamente dirigido. Doy gracias a Dios, a Editorial UNILIT y al hermano Myron Rush por este libro. Creo que sale a la luz en un momento estratégico. Los pueblos hispanos estamos empezando a disfrutar la primavera de un avivamiento. Multitudes están respondiendo al llamado de Jesucristo.

Necesitamos líderes que sepan soñar grandes sueños, que puedan hacer grandes oraciones, y que tengan los elementos básicos para verlos hechos realidad.

ALBERTO H. MOTTESI
evangelista

NOTA DE LA EDITORIAL: Este libro también puede ser usado por empresas y negocios grandes y pequeños. Su sistema de administración a la luz de la enseñanza bíblica, ofrece normas que darán a las empresas y negocios, el toque vital que gerentes y administradores pueden utilizar para que sus negocios obtengan el máximo rendimiento a través de sus empleados y en su productividad.

EDITORIAL UNILIT

Introducción

Como consultante administrativo, conferencista de seminarios y dueño a medias de una empresa fabricante, he observado de cerca la creciente necesidad de un liderazgo y administración tanto en la comunidad financiera como dentro de nuestras organizaciones cristianas. Los avances tecnológicos modernos juntamente con las múltiples presiones ejercidas por la inestabilidad de las condiciones económicas, han hecho que los gerentes o administradores en ambos sectores se den cuenta de la necesidad de mejorar su preparación administrativa.

Sin embargo, los cristianos están descubriendo que la filosofía secular de administración y liderazgo contradice a menudo sus valores cristianos. Muchos dirigentes cristianos buscan un enfoque alternativo de administración. La finalidad de este libro, es la de encontrar dicha alternativa.

Yo he intentado hacer resaltar los principios bíblicos de administración y liderazgo organizado. He intentado mostrar los medios administrativos necesarios para lograr el desarrollo y el mantenimiento de un negocio u organización cristiana próspera y sus fundamentos bíblicos.

En algunos aspectos este ha sido un libro difícil de escribir. He intentado dirigirme al negociante cristiano deseoso de dirigir y operar sus negocios seculares desde un punto de vista bíblico.

Al mismo tiempo me dirijo a los líderes de las organizaciones cristianas. De hecho, la mayor parte de las normas se aplican a ambas situaciones.

Este libro no trata la manera de cómo convertirse en líder espiritual, aunque me complacería que mis lectores madurasen espiritualmente con su lectura. No obstante, el objetivo del libro consiste en saber cómo dirigir a individuos, organizaciones y empresas desde un punto de vista bíblico.

He intentado hacer énfasis sobre los aspectos prácticos más bien que sobre las bases filosóficas del liderazgo y administración. En vez de citar situaciones hipotéticas, sobre gerencia y administración, he presentado múltiples ejemplos auténticos sobre el éxito y fracasos tomados de mis archivos. Me permití cambiar nombres e identidades de personas y organizaciones para proteger su intimidad.

En mi capacidad de consultor administrativo durante los últimos años, he observado que es más fácil "aprender" que poner en práctica. Por consiguiente, los proyectos de aplicación personal sólo se dan como una ayuda para facilitar la puesta en práctica de los principios.

Mi ferviente deseo es que tanto ustedes como su organización o empresa adquieran más efectividad y productividad como resultado de la lectura de estas páginas. A la vez deseo que su ejemplo como dirigente sirva para estimular a muchos otros dirigentes no-cristianos y gerentes a buscar en la palabra de Dios la inspiración y dirección necesarias para resolver las situaciones administrativas cotidianas.

MYRON D. RUSH

1
Una Filosofía Bíblica de la Administración

En días pasados me encontré sentado en el avión de Los Angeles a Denver junto al pastor de una iglesia grande de California. Al enterarse que yo era un asesor administrativo, me confió algunos de los problemas que tenía que resolver como administrador.

"El dirigir una Iglesia en vías de crecimiento puede ocasionar grandes frustraciones", me dijo cuando volábamos sobre Las Vegas, Nevada. "En nuestra denominación el pastor se encuentra sujeto a presiones constantes para aumentar el número de miembros e impulsar nuevos programas. Sin embargo si la Iglesia crece, el pastor a menudo se siente frustrado por carecer de las dotes de líder. Los pastores en su mayoría no han sido preparados para dirigir una organización grande y dinámica."

Al cruzar las Montañas Rocosas y empezar el descenso al Aeropuerto Internacional de Stapleton, en Denver, terminó diciendo: "Desgraciadamente aún cuando la mayoría de los pastores se consideran capacitados para dirigir espiritualmente a su comunidad, no son muchos los que se consideran con la preparación suficiente como para dirigir una organización."

Durante los últimos años, me ha tocado escuchar afirmaciones similares en boca de varios pastores y dirigentes cristianos. Como acontece en muchas otras clases de organizaciones la mayor parte de los dirigentes y líderes de las organizaciones cristianas van ascendiendo por experiencia y méritos alcanzados, pero a diferencia de los miembros de otras profesiones, la directiva de las organizaciones cristianas probablemente asistió a un Seminario Teológico o Instituto Bíblico en el cual los programas educativos hacen énfasis en cursos tales como homilética, eclesiología, escatología, exégesis, soteriología, hermenéutica, griego y hebreo.

Todos estos programas son útiles para que una persona pueda enseñar correctamente la doctrina. Pero ninguno de ellos sirve para preparar a una persona para administrar o dirigir a una organización o grupo. Es evidente que las organizaciones cristianas deben prestar mayor atención a la formación de sus directivos o administradores ya que sin ello, ninguna organización podrá desempeñar su ministerio de forma productiva.

Se Necesita: Un Enfoque Bíblico Administrativo

La necesidad de que haya dirigentes cristianos bien preparados en las organizaciones cristianas es un tema frecuente en las discusiones actuales en las comunidades cristianas. Muchos pastores, profesores de institutos y seminarios teológicos, así como los dirigentes de organizaciones eclesiásticas, concuerdan en admitir que se hace necesario el que exista gente mejor preparada para la dirección efectiva de las organizaciones que Dios ha escogido para llevar a cabo su labor.

Históricamente la mayor parte de la Cristiandad ha tomado sus normas de administración del mundo del comercio secular. Desgraciadamente esta filosofía que rige el comercio secular es a menudo a la vez humanista y materialista. La autoridad y el poder se consideran como medios que se utilizan para manipular y controlar a las personas.

La mayoría de los tratados de administración, los catedráticos universitarios, así como los asesores y administrativos, definen la administración como el lograr hacer el trabajo por medio de otros. Este es un concepto popular y es muy atractivo para la naturaleza humana inclinada al pecado, ya que con él, concede a los gerentes el "derecho a manejar y explotar a los que están a sus órdenes.

Es trágico que muchas organizaciones cristianas hayan aceptado esta filosofía comercial mundana como norma, e intentan cumplir su misión divina empleando una filosofía administrativa diametralmente opuesta a los principios bíblicos. Como ejemplo consideramos el pasaje bíblico a continuación:

"En eso se le acercó la esposa de Zebedeo, junto con sus dos hijos, Jacobo y Juan, y se arrodilló ante El.

-¿Qué quieres?- le preguntó Jesús.

-Quiero que en tu reino mis dos hijos se sienten junto a tí en el trono, uno a tu derecha y el otro a tu izquierda.

Pero Jesús le dijo:

-¡No sabes lo que estás pidiendo!

Y volviéndose a Jacobo y a Juan, les dijo:

-¿Se creen ustedes capaces de beber del terrible vaso en que he de beber? ¿Y de resistir el bautismo con que voy a ser bautizado?

-Sí- respondieron-. Podemos.

-Pues a la verdad van a beber de mi vaso -les contestó Jesús y van a bautizarse con mi bautismo, pero no tengo el derecho de decir quienes se sentarán junto a mí. Mi Padre es el que lo determina.

Los otros diez discípulos se enojaron al enterarse de lo que Jacobo y Juan habían pedido, pero Jesús los llamó y les dijo:

-En las naciones paganas los reyes, los tiranos o cualquier funcionario está por encima de sus súbditos. Pero entre ustedes será completamente diferente. El que quiera ser grande, debe servir a los demás; y el que quiera ocupar el primer lugar en la lista de honor, debe ser esclavo de los demás. Recuerden que yo, el Hijo del Hombre, no vine para que me sirvan, sino a servir y a dar mi vida en rescate de muchos." (Mateo 20:20-28)

Este pasaje nos permite ver el contraste entre el pensamiento filosófico del mundo, acerca de la administración, y el de Jesucristo. Los dirigentes del sistema secular, a menudo, emplean su autoridad y poder para enseñorearse sobre todos los que se encuentran bajo sus órdenes, aunque entre los más preparados existen honrosas excepciones. De todos modos, Jesucristo dijo, que el cristiano no debería comportarse de esa manera.

El dirigente cristiano está obligado a servir a sus empleados ayudándoles a ser lo más eficaces posible, y cuanto más elevada sea su posición en la organización, mayor será su obligación de servir. De hecho el jefe de una organización debe estar por completo al servicio de los que están bajo sus órdenes (de igual manera que se encuentra el esclavo en relación a su amo.)

La Biblia nos demuestra con un ejemplo excelente el caso de un dirigente, el rey Roboam, que quiso pasar por alto la indicación de Dios sobre la administración, e intentó enseñorearse de su pueblo. Roboam preguntó a los más antiguos estadistas de la nación cuál era la manera de gobernar a su pueblo. "Y ellos respondieron: -"Si les das una respuesta agradable y prometes ser bondadoso con ellos y servirles bien, podrás ser rey para siempre." (1 Reyes 12:7)

Pero el rey Roboam hizo caso omiso del consejo divino y empleó toda su autoridad y poder para manipular, controlar y explotar a su pueblo. Como resultado de ello, el pueblo se rebeló contra él y perdió a la mayoría de ellos.

La actitud autoritaria fomenta el descontento, la frustración y crea actitudes negativas en cuanto al liderazgo. Durante los últimos años la empresa "Sistemas de Entrenamiento Administrativos" que presido, ha llevado a cabo una encuesta para averiguar qué impacto tiene la filosofía directiva sobre la productividad. El siguiente cuestionario fue sometido a la consideración de empleados tanto seculares como cristianos.

Suponiendo que la definición de gerencia consiste en lograr hacer el trabajo por medio de otros, ¿qué impresión les causa esa definición en lo que se refiere a la actitud de la gerencia para con sus empleados.

Las respuestas recibidas con mayor frecuencia fueron:

"La gerencia ve al empleado como instrumento para llevar a cabo un trabajo."

"Al jefe le interesa más mi espalda que mi cerebro."

"Se me paga por trabajar, no por pensar."

"Yo hago el trabajo pero el jefe recibe el crédito."

"No les intereso como persona, solamente piensan en lo que puedo hacer por ellos."

"La gerencia se considera obligada a tomar todas las decisiones y a mí me corresponde llevarlas a cabo."

Jesús sabía que la actitud del mundo hacia la administración originaba problemas en las relaciones humanas y era a la vez la causa de escasa productividad. El le dijo a sus discípulos que no tomaran como norma de vida la filosofía mundana y que no emplearan la autoridad y el poder para controlar a la gente y obligarlas a producir. Les recalcó la necesidad de que el dirigente empleara su autoridad en servir a sus subalternos. En esta forma la actitud bíblica hacia la gerencia puede definirse así: la Gerencia trata de satisfacer las necesidades de la gente que se esfuerza en cumplir con su tarea.

A medida que el gerente se dedique a suplir las necesidades de sus subalternos, descubrirá con agrado que sus empleados en forma voluntaria, entusiasta y continua le corresponderán a su vez (véase 1 Reyes 12:7)

¿Desea usted una descripción clara de cuál debería ser la actitud del dirigente Cristiano? Lea la Epístola a los Filipenses 2:5-7; en la que Pablo exhorta a los Cristianos: "Jesucristo nos dio en cuanto a esto un gran ejemplo, porque, aunque era Dios, no demandó ni se aferró a los derechos que como Dios tenía, sino que, despojándose de su gran poder y gloria, tomó forma de esclavo al nacer como hombre."

El señor Lee Brase, dirigente cristiano del oeste de los Estados Unidos me dijo recientemente: "Aquellos de nosotros que ocupamos puestos de liderazgo con frecuencia nos cuesta admitir la idea de servir a los demás. Acostumbramos pensar que ya que el ascenso hasta los puestos ejecutivos nos ha costado, es a nosotros a quien corresponde el que nos sirvan, nos creemos que nos hemos ganado ese derecho."

Continuó explicando, que durante los últimos quince años había estado enseñando al personal administrativo a ocupar puesto de liderazgo: He descubierto que si enseña a un hombre, se convertirá en lo que usted es, pero si usted le sirve no habrá límite a su potencial. Se sonrió añadiendo: "Cuando me dí cuenta de ello, me sentí libre para servir a los hombres de mayor capacidad que la mía."

Si la empresa cristiana desea realizar las encomiendas que Dios le ha trazado, sus dirigentes, deberán aplicar los principios de administración basados en la palabra de Dios, en vez de los promovidos y puestos en práctica en el mundo secular. Esto significa que debemos fijar nuestra atención en la palabra de Dios al buscar respuestas acerca de cómo debe de llevar a cabo y administrar su labor.

Ingredientes Claves de una Organización para Lograr el Exito

Todo asesor financiero y catedrático de las escuelas de administración tiene su propia teoría acerca de lo que es necesario para alcanzar el éxito en la dirección de una organización. La mayoría de los directivos creen también dominar la técnica para que su organización triunfe.

Un gerente de alto nivel de una organización eclesiástica de carácter internacional, se expresó diciendo: "Debemos reorganizar nuestra forma de actuar si esperamos tener éxito con el personal que en forma continua enviamos a diferentes países del mundo."

Otro dirigente de la misma organización me dijo: "Deberíamos de ampliar nuestro ministerio si deseamos triunfar en los años venideros."

Un pastor amigo mío dijo: "nuestra iglesia necesita un nuevo local si hemos de conseguir alcanzar a más personas en nuestra comunidad."

Un propietario de una librería cristiana me decía: "Mi negocio mejoraría si mi tienda estuviera en una localidad diferente."

El presidente de una universidad cristiana del medio-oeste de los Estados Unidos, me dijo: "Debemos aumentar nuestra base económica si esperamos continuar nuestro crecimiento."

Cada una de las necesidades mencionadas podrá parecer de suma importancia para estas organizaciones. Sin embargo ninguna de ellas representa los ingredientes básicos de una organización que tiene éxito. La Biblia identifica estos ingredientes en uno de los más famosos estudios de organización que se haya descrito. Con tan sólo 203 palabras en la Biblia al Día, este relato nos ofrece datos valiosísimos acerca de los ingredientes necesarios para mantener y desarrollar una organización encaminada al éxito.

"En aquel tiempo toda la humanidad hablaba un mismo idioma"

A medida que creció la población y se esparció hacia el oriente, se descubrió una llanura en la tierra de Sinar que pronto fue densamente poblada. La gente que vivía allí comenzó a hablar de edificar una gran ciudad con una torre que llegara al cielo: un monumento soberbio y eterno a ellos mismos.

-Esto nos mantendrá unidos, -decían- e impedirá que seamos esparcidos por el mundo.

Entonces hicieron grandes cantidades de ladrillos cocidos a fuego, y reunieron asfalto para usar como mezcla.

Pero cuando Dios descendió para ver la ciudad y la torre que los hombres estaban haciendo, dijo:

-¡Miren! Si son capaces de hacer esto cuando sólo han comenzado a hacer uso de la unidad de idioma y política que tienen, ¿qué no harán después? ¡Nada les será imposible! Vamos, descendamos y hagamos que hablen diversos idiomas a fin de que no puedan entenderse.

Así, pues, Dios los esparció por toda la tierra, lo que impidió que terminaran la construcción de la ciudad. Por esta razón la ciudad se llamó Babel (Confusión), porque fue allí donde Dios los confundió haciendo que hablasen diversos idiomas, y los esparció por toda la tierra." (Gén. 11:1-9)

La narración de la construcción de la Torre de Babel nos rinde cuatro ingredientes claves necesarios para desarrollar una organización venturosa.

- Fijarse una meta de trabajo (vv. 3-4)
- Unidad de propósito (v.6)
- Un lenguaje común (vv. 1,6)
- Cumplir con la voluntad de Dios (vv 7-9) nos demuestra que no la habían acatado).

Toda organización que cumpla con estos cuatro requisitos claves, tendrá éxito.

Un poder de organización ilimitado se adquiere cuando un grupo de individuos se comprometen a trabajar hacia una meta común, se muestran firmes en llevar adelante su decisión y mantienen una comunicación efectiva. "Si son capaces de hacer esto cuando sólo han comenzado a hacer uso de la unidad de idioma y política que tienen ¿qué no harán después? ¡Nada les será imposible! (v.6).

Observemos que Dios dice que cuando existe una entrega al trabajo común y a una meta, una unidad de propósito y un sistema de comunicación eficaz, nada de lo que intenten será imposible de alcanzar, a menos que Dios intervenga, llevarán a cabo lo que se propusieron hacer. Dios sabía que la organización que construía la Torre de Babel, tenía los ingredientes necesarios para triunfar y que si no los detenía alcanzarían su propósito. Ya que no aprobaba sus planes, Dios puso fin a su labor.

¿De qué manera lo hizo? "Vamos, descendamos y hagamos que hablen diversos idiomas a fin de que no puedan entenderse" (v. 7). Desbarató su sistema de comunicación. Una vez que intervino los obligó a desistir del proyecto y la unidad del mismo se destruyó con el consiguiente fracaso de todos los planes. No obstante, si hubieran trabajado en un proyecto con la aprobación divina lo habrían conseguido.

Como asesor administrativo, he trabajado con todo tipo de organizaciones tanto cristianas como seculares. Y a través de los años he observado que los problemas de organización pueden subdividirse en tres categorías básicas: falta de entrega por parte de las personas a fin de trabajar hacia una meta definida, falta de unidad en los diferentes departamentos y los empleados, y comunicación deficiente. También he observado que en gran parte la falta de comunicación eficiente es la causa de los otros dos problemas.

El Objetivo de Este Libro

Este libro fue escrito con el propósito de señalar los principios básicos de administración tal como los expresa la Biblia. Además suple los medios para la dirección y administración necesarios para aplicar y utilizar estos principios bíblicos en una forma que garantice el éxito. Cuando Dios decidió llevar a cabo Su obra, con el auxilio de los hombres, sabía que éstos tendrían que organizarse para poder llevar a cabo la misma. Por este motivo, se aseguró de que en la Biblia estuviesen presentes todos los principios y filosofías necesarias para llevar adelante Su obra. Esas reglas se aplican no solamente a las organizaciones cristianas sino también al liderazgo cristiano en cualquier organización.

Resumen del Capítulo

Las personas relacionadas con la dirección y administración del trabajo de Dios necesitan adoptar una filosofía bíblica de la administración. Existe una conciencia creciente entre los dirigentes cristianos de que el pueblo de Dios necesita ser más efectivo a la hora de dirigir Su obra.

En el pasado la comunidad cristiana no se ha preocupado en mantener un equilibrio entre el liderazgo "espiritual" y el "administrativo". Todos están de acuerdo en reconocer la importancia y necesidad de un liderazgo "espiritual". Sin embargo, hace poco que las organizaciones cristianas han dedicado su atención a la necesidad de liderazgo administrativo y gerenciales también.

En el momento actual la mayoría de los dirigentes de las organizaciones cristianas reciben su adiestramiento de manos de organizaciones seculares y comerciales. Esto significa que muchos de los líderes cristianos intentan llevar a cabo la obra de Dios empleando una filosofía secular que ha sido condenada por El.

El mundo utiliza el poder y la autoridad para "enseñorearse" sobre todos en un esfuerzo por llevar a cabo el trabajo. La Biblia enseña que la autoridad solamente debe emplearse para servir a las necesidades de los otros. La organización cristiana deberá adoptar un enfoque bíblico para entender la administración, un enfoque que tenga como finalidad primordial satisfacer las necesidades de las personas bajo nuestras órdenes, conforme trabajan en el desempeño de sus labores.

Cuatro ingredientes claves destinados a lograr el éxito de una organización son: La fidelidad en el trabajo con una misma meta; la unidad de propósito entre los trabajadores; un sistema de comunicaciones eficiente y el propósito de hacer la voluntad de Dios.

Aplicaciones Personales

1. Haga una lista de sus puntos fuertes y débiles como líder o gerente. Conforme estudie este libro anote los principios y los medios que necesita para mejorar su habilidad directiva.

2. Estudie los pasajes de Mateo 20: 20-28 y 1 Reyes 12: 1-20.

a ¿En qué forma ha demostrado usted su orgullo y altivez para con los que trabajan con usted o para usted?

b ¿Qué medidas puede usted tomar para corregir esto?

3 En dos hojas de papel aparte escriba la definición laica de gerencia: "La gerencia consiste en hacer el trabajo por medio de otros" y en la otra, la definición bíblica: "La gerencia consiste en suplir las necesidades de los demás a la vez que trabajan

en sus tareas." Pregunte a varias personas que trabajen con usted qué les sugieren estas dos definiciones con respecto a lo que la gerencia piensa de sus empleados. '

4 Estudie Génesis 11:1-9. ¿En cuál de las áreas siguientes cree usted que su organización se encuentra débil?

a En la falta de entrega al trabajo, con una meta bien definida.

b En la unidad entre los trabajadores dentro de los diferentes departamentos y grupos.

c En la falta de un sistema efectivo de comunicación.

d En la ausencia de un enfoque claro sobre la voluntad de Dios.

2
Tus Recursos
Más Valiosos

El director de personal de una mina me dijo hace poco: "Tengo un empleo que me desalienta. Cuando doy empleo a personal nuevo, generalmente, se muestran deseosos de trabajar para nosotros, pero pasadas unas semanas están dispuestos a abandonar el empleo."

Al hablar sobre las razones del cambio rápido en la actitud de los empleados, dijo: "Yo creo que el problema consiste en que los empleados sienten que la dirección se interesa más en el costoso equipo minero que en nuestra gente."

Un pastor asistente en nuestra ciudad me invitó a comer con él un día y durante nuestra conversación dijo: "Myron, no quiero que me creas negativo, pero estoy a punto de dejar la iglesia donde se supone que soy el pastor asistente."

Me traumatizó al oírle decir ésto y le pregunté, "¿Qué quieres decir con que se supone que eres el pastor auxiliar?"

"Pues, te diré, siento que puedo hacer una labor más útil que la de pegar sellos, amontonar sillas y doblar boletines."

Varios meses después recibí carta suya, con matasellos de la costa oeste, en donde estaba trabajando como director de admisiones en una universidad cristiana. El me decía en ella: "Echo de menos la iglesia, pero al menos aquí siento que me necesitan y soy de utilidad para alguien."

Las personas constituyen el recurso más valioso de una organización. Sin embargo, en las organizaciones cristianas, así como en las laicas, no se acostumbra reconocer su valor verdadero.

Sin el elemento humano una organización no es más que unas cuantas líneas y paréntesis sobre un pedazo de papel que se llama esquema o cartilla de organización.

Requisitos Mínimos Para La Administración

La dirección puede reducirse a dos categorías básicas: el enfoque de los objetos y las ideas. Estos dos representan el mínimo respecto a la administración. Desgraciadamente a las personas, a menudo, se les coloca en la categoría de objetos.

En general es más fácil administrar los objetos que las ideas porque los objetos son tangibles, mientras que las ideas son intangibles. En los objetos se incluyen presupuestos, medios de transporte o servicios públicos, materiales y suiministros. Los objetos pueden ser contados, inventariados y en la mayoría de los casos fácilmente localizados y controlados.

Por el contrario, las ideas no son visibles, son difíciles de evaluar, a veces son difíciles de explicar y con facilidd se hace caso omiso de ellas y de hecho existen con frecuencia sin que la dirección sea consciente de su existencia. Por tanto, la mayoría de los gerentes pasan gran parte de su tiempo administrando objetos y con frecuencia no hacen caso de la existencia de las ideas.

No obstante todas las cosas principian como ideas en la mente de alguna persona. Todo objeto de fabricación humana, que existe o ha existido, fue concebido como una idea en la mente de un hombre y las cosas del mañana son las ideas de hoy. Por lo tanto el dirigente interesado en el progreso, o en proyectar la existencia de una organización más allá del presente, debe darle máxima importancia al enfoque de las ideas. El mañana de una organización dependerá del buen empleo que se haga de las ideas de las personas de hoy.

Es de lamentar que muchos gerentes sólo consideren a las personas de la organización como objetos que se deban emplear para terminar el trabajo que se está haciendo. No se dan cuenta de que las personas constituyen el recurso de más valor en la organización. Eso es debido, en parte, a que muchos gerentes se consideran a sí mismos como la única fuente de ideas y es fácil que muchos directivos presten más atención a los edificios, los presupuestos y los materiales que a las personas, a pesar de que las ideas para lograr todo esto provienen de las personas.

El Poder Creador Ilimitado de las Personas

¿En qué consiste el poder creador y por qué tiene tanta importancia en una organización? Crear puede definirse como el hacer algo nuevo o el modificar algo antiguo. Con esta definición se puede decir que sólo Dios y el Hombre son fuentes de creación.

No hace mucho un centro de investigaciones cerebrales costeado por el gobierno de los Estados Unidos publicó un informe en el cual afirmaba que la capacidad creadora del cerebro humano era infinita. Esto no debe ser motivo de sorpresa. Aproximadamente hace 4,000 años Dios dijo a su pueblo: "Nada les será imposible" (Génesis 11:6). Dios afirmaba que en el hombre existe el potencial creador ilimitado. Lo que Dios dijo hace tantos años, la ciencia ahora lo confirma, el hombre posee fenomenal potencia creadora.

Cuando Dios se dispuso a crear al hombre dijo: "Hagamos al hombre, a nuestra imagen, conforme a nuestra semejanza" (Génesis 1:26). El hombre fue una creación muy especial, ya que de todas las criaturas de Dios sólo a él le fue dado el atributo divino de la razón. El hombre es un ser racional, con el poder de tomar decisiones y con ingenio creador. Esto significa que la mente humana constituye el recurso más valioso para una organización.

Cómo Estimular el Poder Creador para el Beneficio de su Organización

Toda persona tiene poder creador. Todo individuo posee la habilidad para hacer algo nuevo o para modificar algo viejo. El poder creador no es un don del que participan unos pocos. No es preciso poseer un don artístico o un talento musical especial para ser creador.

Ni tampoco es necesario una enseñanza especial para ser creativo. No es preciso hacer un esfuerzo grande, ya que la creatividad es un producto natural en el proceso del pensamiento del hombre. Las personas serán creativas hasta donde su organización y su jefe les permitan. Desgraciadamente, en muchas organizaciones los gerentes no dan oportunidad a sus empleados para ser creadores. Eso en sí es trágico, ya que extrayendo la fuerza creadora es una de las formas más eficaces de aumentar la productividad individual y la de las organizaciones.

Jesús nos dio un ejemplo de la importancia de aumentar la productividad al narrar la Parábola de los Talentos. En esta narración, los servidores productivos fueron recompensados y los no productivos fueron castigados con severidad.

La Parábola de los Talentos encierra varios principios bíblicos de administración y de liderazgo, dos de los cuales, merecen ser considerados aquí. En primer lugar, Dios espera que el poder creador y la habilidad individual sean utilizados. En segundo lugar establece que toda contribución individual debe ser recompensada por su esfuerzo. De aquí, que los dirigentes cristianos, deben estimular al personal bajo su dirección, a utilizar sus habilidades y poder creador para aumentar la productividad individual y la de la empresa. Conforme se logra este objetivo el líder deberá reconocer y dar crédito a aquellos que son responsables por este aumento en la producción.

Durante la II Guerra Mundial la Compañía Spartan Aircraft, constructora de aviones, recibió un contrato para fabricar una pieza de un ensamblado de un ala para un caza-bombardero. Los jefes de la empresa fueron informados por los "expertos" que los preparativos para entrar en producción tardarían 18 meses y que cada unidad representaría 400 horas-hombres de trabajo. Como era tiempo de guerra, esto les pareció una eternidad y se concertó una reunión para hablar acerca del problema con todos los trabajadores.

La gerencia de Spartan Aircraft Co. les pidió a sus empleados que expresaran sus ideas sobre cómo acortar el tiempo necesario para comenzar a producir, así como el de disminuir el mínimo de horas-hombres necesarias para fabricar cada unidad. Empleando las sugerencias de los empleados, la fábrica tardó solamente 8 meses para completar la producción y además empleó sólo 40 horas-hombre para fabricar cada unidad para el ensamblaje.

El señor Jim Anderson, propietario de una empresa, Mile High Speed Co. en Grand Junction, Colorado, me llamó un día para ·decirme: "Tengo un verdadero problema: diariamente me llegan pedidos por 75 cajas de semillas para el jardín, pero solamente podemos empaquetar 35 cajas. Como resultado de este retraso los pedidos se me han acumulado y pierdo la mitad de mi posible clientela". Añadió que había tratado de obtener un sistema de empaque automático para contribuir a resolver el problema, pero como acababa de principiar el negocio, los Bancos no le daban un préstamo de $500,000 dólares que se necesitaban para hacen los cambios.

Le sugerí que fuese a las personas que trabajaban en el departamento y les preguntase qué sugerencias tenían para resolver el problema. A Jim no le gustó la idea, diciéndome que el problema era suyo y que no veía la razón para molestar a su gente con sus problemas. Al fin logré persuadirle y accedió a ir a sus empleados para hablarles sobre el problema.

El viernes siguiente, a las 3 p.m., Jim citó a los nueve empleados que trabajaban en la sección de semillas para jardines y les explicó la situación. Luego les dijo: "Si ustedes tienen alguna sugerencia, estoy dispuesto a oírlos." El lunes siguiente a las 8 a.m. uno de los empleados entregó a Jim un diagrama con las recomendaciones que habían hecho. Este las estudió y pensó que podrían llevarse a cabo.

A los tres meses de esto, Jim volvió a llamar diciéndome: "¿Recuerdas el problema que tenía en el departamento para flores y semillas? Pues bien, seguí tu consejo y pedí consejo y ahora se envían 75 cajas por día." Y riéndose agregó, "Y sólo me costó 500 dólares por los materiales empleados·"

La historia no termina aquí. Al llegar la víspera de Año Nuevo llegó a verme Jim con su esposa y después de tomar café me informó: "Ya llegamos a 105 cajas al día, sólo siguiendo los consejos de los empleados" y hace poco me visitó para decirme que ya había alcanzado la cifra de 145 cajas al día.

A todo dirigente Cristiano le corresponde el ocuparse y asegurarse de que su empresa sea lo más productiva posible. Debe también recordar que Dios le ha dado a las personas poderes ilimitados para innovar y resolver problemas. Por consiguiente debe dedicarse a que el poder creador sea empleado para aumentar la producción.

Mayores Resultados Mediante el Empleo del Poder Creador

Podríamos narrar muchos ejemplos más, similares a los ya relatados acerca del empleo del poder creador, pero no lo consideramos necesario. Cuando Dios dijo: "Y han comenzado la obra, y nada les hará desistir ahora de lo que han pensado hacer" (Gén. 11:6), significó que hay una solución para todo problema de organización. El encontrar esta solución depende en parte de que se le pregunte a los trabajadores y que se utilicen sus soluciones o respuestas.

A Las Personas les es Indispensable Hacerlas Sentir Que Son Necesarias

Hace pocos días me tocó llevar a cabo un seminario sobre los principios bíblicos que se emplean en la gerencia, para una iglesia en el medio-oeste de los Estados Unidos. Por la tarde se acercó una de las asistentes al seminario y me preguntó a qué hora terminaría ya que tenía que conducir 15 Kms. por carretera para volver a casa. Le pregunté si no había iglesias más cercanas a su domicilio, me replicó que sí había varias, pero que no se sentía necesaria como maestra en ninguna de ellas, mientras que en ésta sí se sentía útil de verdad.

Pensé en que era raro que las iglesias no necesitaran maestras de religión pero en muchas de ellas no se les hace sentir su gran utilidad. Las personas gozan con sentirse útiles. Son individuos innovadores, entusiastas, llenos de ideas y soluciones para los problemas, a la vez, que deseosas de ayudar. Una gran parte de la propia estima de una persona es sentir que ayuda a resolver los problemas de su grupo u organización.

Desgraciadamente muchos líderes y directores no reconocen ni emplean el potencial ilimitado de sus recursos humanos. En vez de ello, a menudo se encuentran sobrecargados de trabajo y frustrados debido al aumento de los problemas y las responsabilidades que acompañan a la administración de una empresa para la gente, en vez, de con la gente. Un buen dirigente no solamente se da cuenta que el trabajador requiere que lo necesiten sino que él se cerciora que todos los de su grupo u organización tengan oportunidad de emplear sus habilidades y destrezas así como su poder creador.

Jesucristo conocía muy bien este principio. El vino a dar Su vida por y para el hombre. Este fue Su objetivo principal y El dedicó mucho tiempo a desafiar y adiestrar a la gente para que tomaran parte en la acción. Por ejemplo: El le dijo a Simón Pedro y a su hermano Andrés: "Vengan conmigo y los haré pescadores de hombres" (Mateo 4:19).

Los discípulos reconocieron el valor, la importancia y el potencial del trabajo que Jesús les ofrecía. Ellos se dieron cuenta que estaban ante un líder deseoso de emplear sus habilidades y su poder creador para llevar a cabo el mismo trabajo que El estaba haciendo. Su respuesta a este tipo de oferta nos la da el siguiente versículo: "Inmediatamente abandonaron sus redes y lo siguieron (v:20).

Sin embargo muchos de los líderes les dicen a sus hombres: "Seguidme y os daré todos los trabajos que yo no quiero". Jesús no solamente reconoció el potencial ilimitado y el valor del poder creador humano, sino que El ofrecía a Sus seguidores la preparación y la oportunidad de poner en práctica sus habilidades en una obra que valía la pena. Esta es la señal de un excelente dirigente y administrador de los recursos humanos.

La Barrera o Impedimento Mayor Para El Empleo Del Poder Creador En Una Organización Es La Tradición

Aunque el poder creador es uno de los recursos más valiosos de una organización, muchos líderes y dirigentes no lo emplean con eficiencia. Existe una razón máxima para ello.

La razón que limita el empleo del poder creador en una organización es la tradición. Las organizaciones semejantes a las personas atraviesan un ciclo vital: nacen, tienen una infancia, alcanzan la madurez, llegan a la vejez y eventualmente mueren.

En su nacimiento y durante su infancia la organización no ha desarrollado aún sus tradiciones. Durante esta fase emocionante de su desarrollo se anima a las personas a ser tan innovadoras y creadoras como les sea posible. La actitud general suele ser: "Probemos, puede que dé resultado".

Como consecuencia de ello, la organización acumula una historia de éxitos y fracasos. Los líderes y dirigentes se aferran a las cosas que dieron resultado mientras que por otra parte evitan los métodos que fracasaron. Poco a poco, lo que dio resultado se vuelve tradición.

La tradición se forma por la historia de los éxitos y fracasos. Los jefes y gerentes se aprovechan de las cosas que tuvieron buenos resultados a la vez que desechan los métodos que fracasaron. Poco a poco lo que dio resultado se vuelve tradicional y forma parte de la política, procedimientos, metodología y reglas de la organización. Esto constituye el principio del proceso de madurez de la organización.

Conforme más procedimientos dan resultado se establecen más tradiciones. Lamentablemente entre más tradiciones se asientan la organización y sus jefes se oponen a la innovación y el cambio. La tradición en sí no es mala. Se vuelve mala y peligrosa para la organización cuando se permite que anule la innovación y el poder creador. La tradición puede y debe desempeñar un papel importante en una organización y lo seguirá siendo mientras las personas se encuentren dispuestas a efectuar mejoras en los métodos tradicionales.

En su infancia una organización tiende a desarrollar buenos métodos para llegar a su meta. La ironía es que con el tiempo se substituyen la meta por el método. Así que, durante el proceso de madurez la misión original, la meta u objetivo de una organización, se reemplaza poco a poco por una nueva meta, a saber: mantener las tradiciones del método. Esto acelera el proceso de envejecimiento de la organización.

Durante el ciclo de "envejecimiento" prácticamente cesan todos los procesos innovadores y creadores. La organización descansa cómodamente sobre su historial de pasados éxitos y toda la energía de organización se dedica a mantener y proteger las tradiciones. Después de todo, a ellas se debe el éxito pasado de la organización.

Las nuevas ideas mueren por causa de afirmaciones tales como:

- Antes nunca lo hacíamos así.
- No vayas en contra de la marea.
- Eso nunca funcionará.
- ¿Por qué arriesgarse a fracasar y comprometer nuestro buen nombre y posición cuando sabemos que ésto ya nos ha dado buen resultado?

A partir de ahí la organización comienza a morir por falta de ideas nuevas y de vitalidad. Insistimos en que el poder creador es la vida de una organización. Cuando las tradiciones la asfixian y la matan, toda la organización empieza a decaer. Por tanto, todo dirigente y gerente debe examinar sus tradiciones y estar seguro que se motiva a las personas para que creen maneras nuevas y mejores para llevar a cabo los programas y las tareas a los fines de la organización.

Resumen del Capítulo

Las personas son el recurso más valioso, pero menos utilizado en una organización. Una empresa no es más que un conjunto de líneas y paréntesis trazados sobre una hoja de papel, si sus recursos humanos no se uitilizan.

Todas las actividades de la gerencia pueden reducirse a dos funciones básicas: la administración de "las cosas y la de las ideas". Estas dos se conocen como el mínimo irreductible de la administración. La mayoría de los administradores se ocupan más de las cosas que de las ideas. Sin embargo, todas las cosas comienzan como ideas. Por lo tanto, el gerente que tenga deseos de progresar debe concentrar su esfuerzo, en el empleo de las ideas.

El hombre posee un potencial creador ilimitado. Este poder puede definirse como el hacer algo nuevo o reformar algo viejo. El ser innovador y creador es una parte natural del proceso del pensamiento del hombre.

La organización que se concentra en utilizar el poder creador de sus empleados encontrará soluciones factibles a sus problemas. Encontrará también nuevas y mejores maneras de llevar a cabo sus tareas. La productividad de la organización se verá aumentada como resultado de ella.

Las personas necesitan que se les dé una oportunidad para utilizar su impulso creador y si se les da la oportunidad de ser innovadores pondrán sus habilidades y destrezas al servicio de la empresa. Es de lamentar que las tradiciones de una organización se opongan al uso efectivo del poder creador.

El dirigente y el gerente deben tener presente el hecho de que el poder creador, a diferencia de otros recursos de la organización, si no se utiliza se pierde. Los dirigentes que no emplean el poder creador de sus empleados acaban por perder a estas personas.

Aplicaciones Personales

1   Examine sus actividades como dirigente o gerente y determine si usted ha puesto mayor énfasis en la administración de las cosas o de las ideas.

2   Hágase una lista de los problemas actuales de la organización, e interese a las personas en buscar una solución a los mismos.

3 Haga que sus trabajadores sugieran maneras más eficientes de llevar a cabo ciertas tareas, y ponga las sugerencias por obra.

4 Pida a sus empleados que identifiquen cuáles son las tradiciones de la organización que actualmente impiden el empleo del poder creador. Trabaje con sus obreros para determinar las maneras de resolver sus problemas.

5 Estudie Mateo 25:14-30 y observe qué principios administrativos puede usted identificar.

3
Un Ambiente de Trabajo Provechoso

Un ejecutivo me dijo una vez: "Me frustra enviar a las personas a seminarios administrativos. La mayoría regresa de ellos contando lo que aprendieron, pero jamás lo ponen en práctica".

En Santiago 1:22 leemos: "Sin embargo, no nos engañemos este es un mensaje que no sólo debemos oír, sino poner en práctica." Carece de valor desarrollar una filosofía bíblica de administración a menos que esta filosofía se traduzca en acción. El saber y no actuar es peor que no saber.

Es posible darse cuenta que las personas poseen un poder creador ilimitado y que constituyen el recurso más valioso de una organización y sin embargo carecer de los conocimientos necesarios para poner en funcionamiento estos recursos. Este capítulo trata del ambiente de trabajo que un dirigente o gerente debe crear a fin de utilizar el potencial creador ilimitado de las personas.

El Jefe o Gerente Es El Creador Del Ambiente De Trabajo

Durante muchos años los psicólogos industriales, los especialistas en ciencias sociales y la mayoría de los consultores de la administración y los maestros se han dado cuenta de la influencia que el medio ambiente tiene sobre la productividad individual. Esta es la razón de que algunas de las industrias más grandes se ocupen de emplear "gerentes de producción" que son los responsables de garantizar que los gerentes y supervisores creen un ambiente que estimule la producción.

El dirigente es el responsable del ambiente de trabajo de su grupo. Las condiciones del ambiente las determinan los dirigentes de las siguientes maneras:

- Respuesta frente a las necesidades del grupo
- Su actitud hacia la gente y el trabajo
- El empleo de su autoridad
- Su reacción ante los errores y fracasos
- Estar dispuesto a dar al equipo el crédito que merece por su trabajo.

El gerente o dirigente interesado en emplear una filosofía bíblica de la administración y de sacar máximo provecho al potencial creador de la gente deberá:

- Crear una relación de confianza mutua entre su persona y su grupo
- Deberá permitir tomar decisiones a todos los individuos del grupo

Deberá hacer que todos los fracasos y errores cometidos se transformen en experiencias de aprendizaje positivo para el grupo

- Deberá, de manera constante, otorgar un reconocimiento a los individuos o al grupo por sus logros.

Todos estos elementos se entrelazan y deben aplicarse de forma consistente para desarrollar y mantener un ambiente de trabajo productivo. Por ejemplo: carece de valor que el dirigente trate de demostrar a sus gentes que confía en ellos, si no les deja tomar decisiones. De igual modo, el gerente que trata de permitir que otros tomen decisiones, pero no les da la oportunidad de transformar los fracasos y errores en experiencias y aprendizajes descubrirá que su gente no se atreve a tomar decisiones.

Desarrollo de la Confianza Mutua

La confianza es el elemento de mayor importancia en la creación y mantenimiento de un ambiente laboral productivo, y estimula la seguridad y libertad de acción que son dos de los requisitos previos para obtener la innovación y el poder creador. Por otro lado, la desconfianza produce frustración, inseguridad y temor; todos ellos grandes impedimentos para obtener el pensamiento creador y la acción innovadora.

Mary Turner, una amiga de mi familia, trabaja como gerente de una organización misionera. Una tarde me llamó para preguntarme: "¿Qué se hace cuando el jefe le dice a uno que le permite hacer una cosa y luego no le permite hacerla?" Antes de que yo pudiera contestarle continuó diciendo, "Ya estoy harta de este empleo. La semana pasada mi jefe me dijo que podía emplear a otra señorita para la oficina. Entrevisté a varias personas y ayer le ofrecí el trabajo a una joven. Hoy mi jefe cambió de opinión. Me dijo que yo no podía emplear a ninguna persona, sin darme ninguna razón. Cuanto más hablaba más molesta me sentía y ¿adivine quien tuvo que llamar a la joven para decirle que no se le iba a dar el empleo?", me dijo enojada. "Naturalmente, me tocó a mí hacerlo".

Después de comentar la acción de su jefe durante un rato, Mary concluyó diciéndome: "Le diré algo, que de hoy en adelante me tendrá que dar la orden por escrito antes de que yo haga algo. No se puede confiar en una persona así."

La falta de confianza de Mary en su jefe le provocó frustración, decaimiento moral, falta de productividad y acabó por abandonar el empleo. Pocas semanas después la encontré yendo a su nuevo empleo y me dijo: "Lamenté dejar el empleo, pero llegó el momento en que no le hacía justicia ni al trabajo ni a mí misma. No se puede trabajar bien para un jefe en quien no se puede confiar."

La confianza comienza con el dirigente o jefe. El verano pasado, pasé un fin de semana en un rancho en las Montañas Rocosas para jóvenes delincuentes. Todos habían tenido problemas con la ley, algunos habían robado dinero, carros o mercancías. Durante mi estancia allí hablé con el jefe que me dijo: "Llevo 30 años en esta obra y he descubierto que en la mayoría de los casos estos muchachos son dignos de confianza, si realmente confías en ellos." El terminó diciendo: "Lo que pasa es que la mayoría de las personas no confía en estos jóvenes, de manera que ellos sienten que les da igual robar o meterse en líos, ya que de todas maneras se les culpa."

Esta historia me recordó lo que conversé con el director de un seminario en que yo había participado, su nombre es Paul Evans. Durante el día habíamos estudiado la importancia de la confianza.

Después de finalizada la tarde Paul vino a mí y me dijo: "Tengo una empleada, en la que no me atrevo a confiar." ¡Ella lo sabe! Apenas salgo ella interrumpe su trabajo tres y cuatro veces para tomar café. Sale más temprano para almorzar y regresa tarde y no hace ni la mitad de su trabajo" y dijo frunciendo el ceño. "Ya estoy a punto de despedirla." Como yo tenía el compromiso de volver allí en seis semanas le propuse: "Si usted demuestra confianza a su empleada y ella no mejora me retractaré de lo dicho acerca del valor de la confianza." El se rió y dijo: "Trato hecho."

A mi regreso Paul me recibió antes de que comenzara la sesión para decirme: "Es increíble lo que le está sucediendo a esta muchacha." Me explicó que la joven era la única empleada de la oficina con el título de licenciada en contabilidad, por lo que le encargó que les diera un cursillo de 3 semanas a tres empleadas que más tarde se aumentaron a 12 empleadas y el curso se prorrogó hasta las 6 semanas. "No me queda más remedio que admitir que hubo una tremenda mejoría en su actitud. Esta semana pasada se quedó trabajando horas extras dos noches seguidas para poner al día su trabajo y jamás se quejó."

Cada jefe y dirigente debía aprender lo que el director del rancho para muchachos y Paul Evans descubrieron. La confianza comienza con el jefe. Hay que demostrar confianza a la gente para que sean confiables.

La fe en una persona produce confianza y estimula la producción. Un ambiente favorable en el trabajo basado en la confianza da a los empleados la tranquilidad y seguridad necesarias para utilizar su poder creador. El innovar siempre implica un riesgo. La persona que no tiene confianza en sus líderes nunca se atreverá a desarrollar nuevas y mejores maneras de llevar a cabo su trabajo. La confianza produce innovación, en cambio, la desconfianza crea el estancamiento.

Una mañana, Carl Williams, que era el jefe de división de una firma mayorista, me comunicó: "Temo que me despidan de mi empleo". Esto me sorprendió ya que yo sabía que era uno de los gerentes más competentes. Continuó: "Te cuento que el año pasado no mantuve mi inventario al día y como resultado la división a mis órdenes finalizó el año pasado con pérdidas de varios cientos de miles de dólares. Ayer me llamó el presidente de la compañía y me citó para verme en su oficina el día de mañana. Temo que me despedirá".

Traté de estimularle y a los tres días me volvió a llamar para decirme que, el presidente lo había citado para decirle que lo que él necesitaba era reponerse del decaimiento que un mal año le había producido".

Carl terminó la conversación diciéndome, "Ten por seguro, que no pienso decepcionar a mi jefe, si él cree que yo puedo llevar a cabo el trabajo le demostraré que tiene razón".

Al año siguiente la división a sus órdenes obtuvo la ganancia más grande de toda la compañía. Carl más de una vez me ha repetido que el saber que su jefe confiaba en él le dio la fe y la motivación necesarias para crear un grupo muy productivo. Como contraste, podemos relatar otra experiencia. En un análisis que practiqué en una escuela cristiana uno de los jefes, Jack Peterson, me dijo: "La moral y la productividad se encuentran muy bajas aquí." Le pregunté, "¿Por qué?" "Desde que llegó nuestro nuevo director se despide a la gente sin ton ni son. He trabajado aquí nueve años, pero estoy buscando otro trabajo, pues me digo: ¿Quién sabe, yo puedo ser el siguiente?"

Para Carl Williams la confianza de su jefe se tradujo en confianza propia y en la determinación necesaria para mejorar la productividad de su división. Por otro lado el no poder confiar en su jefe hizo que Jack Peterson buscara otro trabajo. Estos son ejemplos clásicos del impacto que la confianza tiene sobre la seguridad individual y la productividad personal.

Dar a las Personas la Oportunidad de Tomar Decisiones

El permitir tomar decisiones es el segundo paso para crear un ambiente de trabajo favorable a la productividad,. Desde la más remota antigüedad las personas han fundado organizaciones. Sin embargo, ninguna ha resistido la prueba del tiempo. Todas las organizaciones humanas a la postre se extinguen. Su desaparición es debida a su incapacidad para mantenerse con suficiente flexibilidad para hacer frente a las necesidades de una sociedad cambiante. En otras palabras, la organización no crea el ambiente de trabajo mantenido para estimular de contínuo a la gente a que utilicen su poder creador y sus ideas innovadoras para hacerle frente a las necesidades que cambian de manera constante, tanto dentro de la organización como entre las personas a quienes sirve.

Jesucristo ha sido el mejor administrador e impulsador de los recursos humanos que el mundo jamás haya visto. El creó un ambiente de trabajo para los que El adiestró que les permitió fundar la Iglesia y continuar desarrollándose durante dos mil años que han sido testigos de los cambios sociales, políticos e industriales más rápidos que haya habido. Por consiguiente, el gerente o dirigente interesado en crear un medio de trabajo efectivo debe imitar los principios usados por Cristo.

Dos de los más importantes principios son: demostrar la confianza y otorgar el poder de tomar decisiones. El hecho que uno otorgue el poder propio a otra persona constituye en sí la máxima manifestación de confianza. Sin embargo, no sólo demuestra la confianza, sino a la vez, concede la mejor oportunidad para que las personas empleen su poder creador.

El tomar decisiones lleva consigo la libertad para aplicar el poder creador y las ideas innovadoras propias. El poder de tomar decisiones puede definirse como el derecho para determinar qué acciones se tomarán. Jesús le dijo a sus discípulos: "Vayan por todo el mundo y prediquen el evangelio a toda criatura." (Marcos 16:15) Aquí Jesús estableció la meta, pero les dejó a los discípulos el tomar decisiones con respecto a la forma de alcanzar la meta. Como resultado de ello, emplearon su poder creador y su ingenio para formular planes que les permitieran llegar a la meta.

El resultado de que Jesús diera a sus seguidores libertad para decidir la forma de predicar el evangelio se observa pocos años más tarde, cuando se describe a Pablo y Silas como hombres "que han revolucionado al mundo entero" o vulgarmente hablando "el mundo patas arriba" (Hechos 17:6)

El permitir tomar decisiones hace que una organización se vuelva más sensible a las necesidades de las personas, tanto dentro como fuera del grupo. Permite que exista flexibilidad y cambio y es la forma más eficaz para canalizar el potencial creador ilimitado y encaminarlo hacia el logro de una finalidad específica.

Transformación de los Fracasos en Experiencias Positivas de Aprendizaje

El temor al fracaso es una de las razones primordiales por la cual los dirigentes se muestran reacios a conceder el poder de tomar decisiones a otros individuos. Sin embargo, la persona interesada en crear un ambiente de trabajo productivo para un grupo deberá aceptar una cierta dosis de fracasos. También debe aprender a buscar la forma para hacer que el fracaso se convierta en una experiencia positiva de aprendizaje para todos los interesados.

El temor al fracaso asfixia la creatividad y disminuye la productividad. El temor es uno de los peores enemigos del hombre que asfixia la innovación y destruye la productividad. En la Parábola de los Talentos de Jesús, el sirviente que había recibido un talento dijo: "Señor... como sabía que eres tan duro que te quedarías con cualquier utilidad que yo obtuviera, escondí el dinero. Aquí tienes hasta el último centavo·" (Mateo 25:24-25) El temor del sirviente le impidió utilizar el talento que le había sido dado y como resultado de ello no produjo nada.

Lawrence Appley, anterior presidente de la Asociación Americana de Administradores, comprendía los efectos devastadores del temor sobre la gente. En un discurso que hizo sobre el tema dijo:

"Además, ¿por qué es tan terrible cometer un error? Aprendemos gracias a nuestros errores y sin errores no hay progreso. Es difícil darse cuenta cómo el temor que nos paraliza hace que cometamos errores, inhibiendo la iniciativa de tantos hombres en los puestos de dirección. El temor al error es una de las razones principales para que se establezca la costosa burocracia y los controles para asegurarse en contra de los errores que, si se cometieran, no costarían ni siquiera una parte mínima de lo que cuestan los controles. Es esta intolerancia ante los errores lo que limita la descentralización de la responsabilidad y de la autoridad. Es esta actitud irrazonable la que causa que los hombres competentes se desentiendan y guarden silencio".

El temor hace que se tengan menos deseos de arriesgarse. El miedo se puede definir como el acto de exponerse a la posibilidad de una pérdida. Muchos dirigentes o directores temen a las innovaciones, los cambios y a las ideas creadoras por el riesgo que implican. Siempre existe la posibilidad de que la idea creadora fracase y que el grupo o la organización sufran la pérdida o el daño. Este miedo se mantiene bajo la forma de una tentación constante para emplear solamente lo probado y lo que ha dado resultado en el pasado.

En la Parábola de los Talentos se nos da un ejemplo vívido en el que el tomar riesgos margina la productividad y el éxito. Dos de los servidores se arriesgaron a fracasar con el objeto de tener éxito. Irónicamente el servidor que no quiso arriesgarse fracasó, precisamente por no querer arriesgarse.

Durante los primeros años de su carrera, J.C. Penney trabajó como un empleado de almacén de departamentos. Varias veces su supervisor le dijo que tenía esperanzas de ser el dueño de su propio almacén. Veinticinco años más tarde cuando era ya el dueño de los varios J. C. Penney volvió al almacén donde había recibido adiestramiento y se sorprendió de encontrar a su antiguo supervisor todavía trabajando allí. Cuando Penney le preguntó por qué no había comprado su propio almacén, respondió: "Oh, el riesgo era excesivo. Aquí tengo un buen empleo seguro, pero si yo fuese el dueño de mi propio almacén podría quebrar".

Muchos líderes estimulan ese tipo de ambiente, de acuerdo con su actitud frente al riesgo y el fracaso. El director deseoso de estar en un ambiente muy productivo deberá estimular la innovación y el cambio y también deberá hacer frente a los riesgos que esto implica. Para alcanzar la totalidad de su potencial, se debe permitir que la gente cometa errores o aún que fracase.

Durante mis años juveniles en la Universidad Central de McPherson, **Kansas** yo jugaba al baloncesto. Después de la mitad del juego local nuestro entrenador nos amonestaba duramente por haber fallado varios tiros en la primera mitad del juego. Cuando nos peleaba en el vestuario nos dijo: "El próximo que falle un tiro lo dejaré sentado en el banco el resto del juego". Gritaba y se ponía enrojecido, señalando con el dedo cerca de la cara de los jugadores preguntándonos: "¿Me entendieron?"

Todos entendimos perfectamente y al regresar al campo para la segunda mitad del juego pensábamos, yo no voy a ser el primero que dispare y falle. El resultado era que ninguno disparaba cuando le llegaba la pelota y nos quedábamos aún más atrás. Nuestro entrenador se dio cuenta de su error, suspendió el juego para decirnos que olvidáramos lo que nos había dicho en el vestuario y que volviésemos a jugar lo mejor que pudiéramos. Por fin ganamos por 2 ó 3 puntos.

Nuestro temor a las consecuencias nos impedía el arriesgar un tiro. Hasta que ese miedo se nos quitó, nos quedamos más y más atrás. Sin embargo, tan pronto como nuestro entrenador nos animó, diciéndonos que no importaba si fallábamos, estuvimos dispuestos a tirar la pelota. Nunca he olvidado la lección de esa noche con respecto a la libertad de fracasar.

Desgraciadamente he observado que muchos dirigentes o directores no conceden importancia al hecho de animar a la gente para que pruebe aún cuando cometan errores o fracasen.

Los fracasos pueden volverse experiencias positivas de aprendizaje. Cualquiera es libre de criticar y condenar los fracasos de una persona, pero los directores efectivos y los gerentes trabajan junto a sus gentes para transformar sus fracasos y errores en experiencias positivas de aprendizaje. Cualquier director puede amonestar a un subordinado por sus faltas, pero se requiere un grado de habilidad y liderazgo considerable para ayudar a una persona a reconocer su error, aprender del mismo y aún tener la motivación suficiente para un nuevo intento.

Cuando un individuo o grupo comete un grave error o fracasa el director deberá:

1. Reunirse con los implicados en el error y averiguar la causa.
2. Trabajar con los individuos o con el grupo para averiguar lo que debería haberse hecho y así evitar el error y lo que sea necesario para corregirlo.
3. Permitir que la persona que fracasó haga el proyecto o repita la actividad nuevamente con el objeto de hacer las correcciones necesarias.

Cuando se trata de errores, el líder o director deberá tener presente que su tarea es la de suplir las necesidades de las personas que se encuentran en su grupo o en su organización. Por consiguiente, cuando una persona fracasa en una tarea el líder deberá determinar si él contribuyó a este fracaso por no haber suplido adecuadamente las necesidades individuales.

Con referencia al primer paso, el dirigente deberá preguntarle a los implicados si algún aspecto del fallo fue debido a que no quedaron cubiertas las necesidades del trabajo. Así, demostrará el dirigente su deseo de aceptar parte de la culpa y que quiere aprender de los errores. En la mayoría de los casos el director o dirigente descubrirá que pudo haber hecho algo para disminuir el riesgo que corría la persona, o el grupo.

En el segundo paso se da oportunidad al dirigente para que emplee el poder creador de los interesados, a fin de corregir el problema y, al mismo tiempo, es una experiencia excelente mediante la cual aprender. No obstante, muchos líderes tratan de hallar la solución por sí mismos. Esto le da a las personas la sensación que no se les confía o que son incapaces de corregir el problema y destruye su confianza personal.

El tercer paso es uno de los aspectos más importantes para transformar un fracaso en una experiencia positiva de aprendizaje. Aquí de nuevo el dirigente puede sentirse tentado a corregir el problema por sí mismo; o bien, puede encargarle la actividad a otra persona. Ninguna de estas dos soluciones es aceptable. Si el error o fracaso ha de transformarse en una experiencia de aprendizaje positiva para los interesados, no solamente deben tener la oportunidad de buscar una solución sino también llevarla a cabo. El no hacerlo indica que el gerente o dirigente no tiene confianza en los que fracasaron. Como resultado en el futuro no querrán arriesgarse para desarrollar y llevar a cabo nuevas y mejores maneras de hacer el trabajo.

Jesús fue maestro en hacer que los fracasos y errores de las personas se convirtiesen en experiencias positivas de aprendizaje, empleando este proceso de 3 pasos. Por ejemplo: los discípulos demostraron su falta de fe y de madurez espiritual al alimentar a los cinco mil (Mateo 17:14-21). No obstante, Jesús continuó asignando trabajo a los discípulos diciéndoles: "Vayan por todo el mundo y prediquen el evangelio a toda criatura" (Marcos 16:15)

Aun cuando los discípulos le fallaron repetidamente, Jesús continuó dándoles la tarea de ayudar a las gentes. Nunca les dijo: "Debido a que ustedes fracasaron en la última misión ya no están capacitados para ser mis discípulos, tendré que reemplazarles por otros." No, Jesús permitió que sus discípulos fracasasen, que aprendieran de su experiencia y que volvieran a intentarlo. Como resultado de ello obtuvo servidores que aunque habían fracasado en sanar a un niño (Mateo 17: 14-21) más tarde, pudieron sanar a un pordiosero cojo (Hechos 3: 1-10) y aunque Pedro negó una vez haber conocido a Cristo maduró hasta el punto de estar dispuesto a morir por El. (Mateo 5: 17-42).

Los primeros grandes almacenes de ropa de J. C. Penney estaban en Denver, Colorado, pero aunque no tuvo éxito, no los vendió aprendió de sus errores y abrió otros grandes almacenes en Wyoming. Estos tuvieron éxito y como todo el mundo sabe, construyó una cadena nacional de grandes almacenes por todo el país. Si Penney hubiera desistido ante su primer fracaso, nunca hubiera logrado lo que consiguió.

El fracaso puede ser uno de los mejores maestros de la vida, si a las personas se les da la oportunidad de corregir sus fracasos y tener éxito. Por el contrario, si el dirigente no los orienta bien el fracaso puede destruir la propia imagen, la motivación y la productividad. El fracaso puede transformar un individuo valiente y precavido en un individuo temeroso y derrotado.

Reconocimiento Adecuado de los Méritos

A través de las páginas de la Biblia, Dios hace hincapié en dar reconocimiento a quienes lo merecen. Este principio lo demuestra claramente Jesús en la Parábola de los Talentos (Mateo 25: 21-23) Su Señor le dijo: "¡Estupendo! Eres un siervo bueno y fiel, y ya que has sido fiel con lo poco que deposité en tus manos, te voy a confiar ahora una cantidad mayor. Ven, entra, celebremos tu éxito."

Se nos ordena: "No dejes de pagar tus deudas, no digas "en otra ocasión", si puedes pagar ahora" (Prov. 3:27) Leemos de nuevo: "Cumple con alegría tus obligaciones: paga los impuestos y las contribuciones, obedece a tus superiores, y honra y respeta a quienes haya que honrar y respetar·" (Romanos 13:7)

Estos pasajes bíblicos demuestran un principio importante del liderazgo y administración. Hay que dar crédito y reconocimiento a las personas por sus merecimientos. El reconocer nada cuesta. Sin embargo, es uno de los más descuidados y menos empleados elementos de motivación que tiene un líder a su alcance.

Durante un análisis de organización que hicimos en una agencia del gobierno, uno de los empleados me dijo: "Por una vez en la vida me gustaría que alguien me dijese cómo estoy trabajando. Hace dos años que trabajo aquí y no sé si trabajo bien o mal". Siguió diciéndome: "A veces no estoy seguro si saben que trabajo aquí."

Como consultor de administración me ha tocado escuchar esta queja cientos de veces tanto en organizaciones cristianas como en las seculares. La mayoría de los administradores admiten que es importante reconocer lo que hacen otros, pero pocos dedican el tiempo y el esfuerzo necesarios para hacerlo.

El reconocimiento demuestra que las contribuciones de las personas son apreciadas y necesarias. Ni un dirigente en un millón diría que él o ella no aprecian las contribuciones de las personas. No obstante, muchos lo hacen al no expresar aprecio por los esfuerzos de los demás.

En una visita que hice hace poco a una iglesia dos jóvenes entonaron una canción muy bella que indudablemente les llegó al corazón de muchos de los asistentes. Inmediatamente después el pastor se acercó al púlpito y dijo: "Me gustaría llamar su atención a los anuncios del boletín".

Me volví a mi amigo que me acompañó y le dije: "Acaba de perder una oportunidad excelente para reconocer el talento de éstas dos jóvenes y mostrarse agradecido por su deseo de emplearlo en la iglesia".

Mi amigo asintió: "Esta es la razón por la cual es difícil que la gente se ofrezca voluntariamente para hacer algo aquí.

Las personas necesitan sentirse necesarias. El reconocerlo ayuda a suplir esa necesidad. "¡Magnífico! Eres un siervo bueno y fiel... te voy a confiar una cantidad mayor." (Mateo 25:21), el amo en la parábola de los talentos le comunicaba a su siervo que le era necesario y que apreciaba sus esfuerzos y contribuciones. El dirigente o administrador que desee un ambiente de trabajo productivo debe hacer lo mismo constantemente.

El reconocimiento motiva a las gentes para ofrecer sus servicios. Una vez escuché a un director de Educación Cristiana en una convención decir: "Si ustedes necesitan mayor número de profesores para la Escuela Dominical hagan héroes de los que ya tienen". Me llevó algún tiempo reconocer la sabiduría de este consejo. Cuando se reconoce y se agradece públicamente a las personas por sus servicios y contribuciones, habrá otros más que se ofrezcan para realizar el mismo trabajo porque saben que se les agradecerá y alabará.

Jamás se ha visto a un dirigente o a un administrador que reconociendo la ayuda que recibe de sus gentes, ya sea en público o en privado, carezca de asistencia y ayuda. Tales dirigentes tienen una reserva de trabajadores dispuestos a ayudarles a llevar a cabo las tareas de su grupo. El que reconoce merecimientos estimula a la gente para utilizar su poder creador y alcanzar los objetivos de su grupo u organización. Sin embargo, el líder que descuida las oportunidades para demostrar reconocimiento tendrá dificultad en hacer que las gentes empleen sus habilidades, artes y dones para alcanzar plenamente las metas de su grupo.

Resumen del Capítulo

El dirigente o gerente es responsable de crear un ambiente de trabajo positivo. Las personas poseen un caudal ilimitado para crear y adquirir altos niveles de productividad. Sin embargo el ambiente de trabajo ejerce una enorme influencia sobre la cantidad de dones, destrezas y habilidades que las personas utilizan.

Para mantener un ritmo elevado de producción, el líder deberá desarrollar un vínculo de confianza con su gente, otorgarles el derecho de tomar decisiones que les permita emplear su creatividad, convirtiendo los errores y fracasos en experiencias positivas de trabajo y otorgar méritos a quienes lo merecen.

La confianza deberá comenzar con el dirigente o director. A menos que la gente a su cargo sienta que puede confiar en las actuaciones de la dirección, no se atreverá a tomar los riesgos necesarios para la aplicación de ideas nuevas y mejores o innovaciones.

El tomar decisiones es un derecho para determinar cuál es la acción que utilizará. El otorgar el derecho a tomar decisiones es uno de los medios más eficaces para inculcar confianza. Le da al individuo la libertad para poner en práctica su creatividad y desarrollar métodos más productivos para llevar a cabo su obra.

Conforme el dirigente o director les dé el poder de tomar decisiones a su gente, deberá estar dispuesto a ayudarles a transformar sus errores y fracasos en experiencias positivas de aprendizaje. El miedo al fracaso inhibe a las personas impidiendo que gustosamente usen todo su potencial para incrementar la productividad de la organización.

Los fracasos pueden convertirse en experiencias positivas de aprendizaje cuando el dirigente averigüe la causa del error, permitiéndoles determinar lo que han de hacer para corregir el problema y finalmente, dándoles a los que fallen una oportunidad de rectificar su error.

El dirigente debe otorgar a las personas el reconocimiento a sus méritos que merecen porque al hacerlo les demuestra su necesidad y aprecio de sus logros y esfuerzos. También esto motiva a la persona a ofrecerse como voluntaria para el logro de su misión o meta.

Los cuatro elementos de un ambiente de trabajo productivo descritos en este capítulo crean una atmósfera en la cual el potencial ilimitado de las personas puede desarrollarse para llenar las metas del grupo u organización. El dirigente deberá tener presente que todos estos elementos deben aplicarse metódicamente para lograr su efectividad.

Aplicaciones Personales

1. Evalúe sus relaciones con cada miembro de su equipo o grupo de trabajo. ¿Qué podría usted hacer para mejorar sus vínculos de confianza con ellos?

2. Examine qué clase y a quiénes, se les concede el poder de tomar decisiones entre las personas de su grupo o departamento. ¿De qué medios se valdría usted para que aumenten las oportunidades de que empleen su poder creador?

3. Recuerde los errores y fracasos más frecuentemente cometidos entre los individuos de su grupo. ¿Qué se podría haber hecho para volverlos motivo de aprendizaje positivo?

4. Desarrolle un plan para darle a su personal más reconocimiento por sus méritos, tanto privados como públicos. Anote el efecto que el reconocimietno tiene sobre la productividad del grupo.

4
El Espíritu de Equipo

En el capítulo II hablamos del potencial ilimitado y el poder creador del individuo. En el capítulo III explicamos los diferentes ambientes de trabajo que el dirigente o administrador deberá crear con el objeto de utilizar todo ese potencial. En éste capítulo explicaremos cómo la destreza, los dones y las habilidades individuales pueden ser mejor empleadas, incrementando la productividad de la organización, creando y manteniendo un equipo de trabajo eficiente.

Un equipo puede definirse como dos o más individuos que se mueven por un mismo camino de interacción hacia el mismo fin. Algunas palabras claves en esta definición nos indican cuáles son los principios de la dinámica del equipo. Primero, decimos que un equipo consiste de "dos o más individuos"; segundo, el grupo "interactúa" y se comunica; tercero, el equipo tiene una "meta común". A menos que existan estos tres elementos, no hay equipo.

Cuando dos o más personas colaboran en el mismo proyecto, si no se comunican entre sí no hay equipo. Las personas que trabajan juntas y se comunican, pero cuyos esfuerzos no están encaminados hacia una misma finalidad no constituyen equipo. Para que constituyan un equipo dos o más personas deberán comunicarse y trabajar hacia el mismo fin. Estos principios importantes de la dinámica de los equipos se estudiarán detalladamente en éste capítulo.

El Objetivo de un Equipo

Un equipo ayuda a las personas a realizar más de lo que podrían trabajando individualmente. Dos personas trabajando juntas en equipo llevan a cabo más que dos individuos trabajando solos. Este principio se expresa en Eclesiastés 4: 9-13.

> Dos hombres pueden más que duplicar el trabajo de uno, porque el resultado puede ser mucho mejor. Si uno cae, el otro lo levanta; pero si el hombre solitario cae, grave es su problema.
>
> Además, en noche fría, dos bajo una frazada mutuamente se dan calor; pero ¿cómo se calentará el solitario? Y uno sólo puede ser atacado y vencido, pero dos, espalda contra espalda, pueden resistir y triunfar; y tres son aún mejores, pues una cuerda triplemente trenzada no es fácil de romper.

Como sugiere este pasaje, tanto la cantidad como la calidad del trabajo mejoran cuando se forma parte de un equipo efectivo.

Jesucristo supo y aplicó estos principios de manera consistente. El formó un equipo de 12 hombres y los preparó para que continuaran su obra, después de su regreso al cielo. Marcos 6: 7-13 describe cómo Jesús dividió su equipo de 12 hombres en 6 equipos formado por dos hombres cada uno y los envió a predicar el evangelio, sanar a los enfermos y echar fuera a los demonios. ¿Por qué envió Jesús a 6 equipos de 2 hombres en vez de 12 individuos? Porque El conocía el principio de la dinámica de equipos como la refiere Eclesiastés del 4:9. Si se entrena a varios individuos para trabajar como un equipo lo harán con mucha mayor efectividad que solos. Esta es la razón por la cual Jesús entrenó a sus discípulos a trabajar juntos como equipo hacia un fin común.

Un equipo permite a las personas emplear sus dones, habilidades y talentos con mayor efectividad. Todos tenemos puntos fuertes y débiles y las propias debilidades tienden a reducir la efectividad de la fuerza. Por ejemplo: supongamos que Bill, que es un excelente consejero de impuestos, es muy retraído y no le gusta tratar con el público. En caso de que él abra su propia oficina, aún siendo un experto en la recaudación de impuestos, es probable que fracase porque no puede tratar a sus clientes ni al público en general.

Para poder sacar partido de su fuerza y compensar sus debilidades Bill deberá asociarse con alguien que esté acostumbrado a tratar con el público. Supongamos que él emplee a Betty, que es una recepcionista extrovertida, cálida y agradable en su trato y que no sabe de impuestos, pero que es excelente en tratar al público. Trabajando ambos en equipo, Bill y Betty probablemente podrán llevar a cabo un negocio eficiente, ya que cada cual trabajará en el área en que es fuerte.

El equipo tiene por objeto, entonces, reunir a varias personas que compensan en las debilidades mutuas, empleando sus dones, habilidades y talentos en conjunto.

Jesús empleó esta forma de equipo para el servicio de Su Iglesia. Así leemos:

A algunos se nos ha dado un don especial como apóstoles, a otros El les ha dado el don de predicar bien, algunos también tienen la habilidad de atraer a la gente hacia Cristo, ayudándolas a confiar en El como su Salvador. A otros les ha dado el don de ayudar a sus gentes como el pastor cuida sus ovejas, guiándoles e instruyéndoles en las sendas de Dios.

¿Por qué es que El nos da estas habilidades especiales para llevar a cabo ciertos trabajos mejor? Es que en esta forma el pueblo de Dios estará dotado por El para levantar la iglesia, el cuerpo de Cristo a una posición de fuerza y madurez (Efesios 4: 11-12).

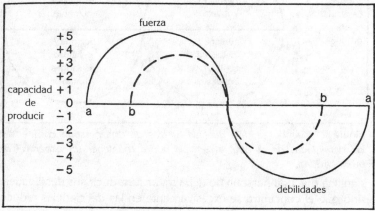

Figura 1. Las personas tienen a la vez fuerzas y debilidades como lo ilustra la línea "a". La línea "b" nos muestra cómo el trabajo excesivo reduce las debilidades pero también grandemente las fuerzas.

Este pasaje nos señala que los individuos poseen diferentes dones y fuerzas. Estos deberán ser empleados para ayudarse mutuamente, conforme el equipo trabaja para alcanzar su meta. En este caso la finalidad es levantar la iglesia y llevarla a su madurez espiritual.

Dios no espera que todos los individuos sean fuertes en todas las áreas de su actividad. Cada uno ha sido dotado de unos dones especiales, de habilidades, talentos creadores y debilidades. Lamentablemente muchos dirigentes creen que su principal objetivo es el de eliminar, o por lo menos, reducir en gran parte estas debilidades. La figura 1 ilustra la falacia de tal manera de pensar.

La línea "a" en la figura 1 representa las fuerzas y debilidades normales de una persona. Dedicando bastante tiempo, energía, dinero y preparación, el dirigente puede ayudar a reducir sus deficiencias. Sin embargo, como lo demuestra la línea de puntos "b", si se gastan tiempo y esfuerzo en tratar de eliminar las debilidades, las fuerzas se reducirán también debido a la falta de uso. Esto no

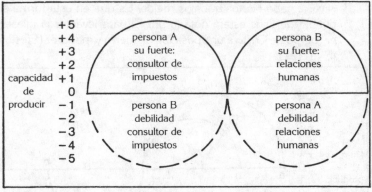

Figura 2. *Cuando se deja que las fuerzas de una persona compensen las debilidades de la otra, el equipo podrá mantener un alto nivel de productividad.*

significa que una persona no deba tratar de reducir sus debilidades, sino que el concentrarse excesivamente en las deficiencias reduce en gran medida la capacidad de producción.

Por tanto el dirigente interesado en el empleo de los dones, habilidades y poder creador de su personal, para aumentar la producción, debe permitirles que trabajen en las áreas en que son fuertes.

Ya se sabe que también existen debilidades, el dirigente o jefe deberá organizar a las personas en equipo en el cual las fuerzas del uno compensan las debilidades del otro, tal como lo ilustra la figura 2.

Esta manera de formar equipos permite dar a las personas mayor satisfacción en su trabajo, mayores oportunidades para emplear su poder creador, mayor motivación y mayor productividad.

Las personas se sentirán siempre más felices y productivas cuando trabajan en algo en que sobresalgan y disfruten. Esto no significa que no se deban tomar en cuenta las deficiencias y que tampoco se deban dejar de lado las oportunidades para adquirir nuevas habilidades. A cada quien corresponde el desarrollar su destreza y mejorar su habilidad. No obstante, los líderes y administradores deben cerciorarse que las personas tienen la oportunidad de trabajar en el área de su mayor fuerza e interés como medio de incrementar la productividad y de compensar las debilidades de los demás. Si los líderes se ocuparan más de que los empledos trabajaran en sus áreas de fuerza e interés y menos en hacer hincapié en sus debilidades descubrirían que todos los involucrados serían más felices y productivos, incluyéndose a sí mismos.

Necesidades que los Miembros Integrantes Aportan al Equipo

Cada miembro del equipo aporta sus propias necesidades al mismo. No obstante existen cuatro necesidades urgentes que todos los miembros del equipo tienen en común. A menos que éstas sean satisfechas los individuos no se incorporarán a la parte productiva del equipo. El dirigente debe tomar en cuenta estas necesidades y cerciorarse, que tanto él como los demás miembros del equipo, las están solucionando. Estas cuatro necesidades claves nos las muestra la figura 3.

La necesidad de emplear habilidades y dones para contribuir a los esfuerzos del equipo.

La edad de las computadoras y de la automatización ha introducido sistemas de economía, de tiempo y energía bajo la forma de artefactos electrónicos y máquinas. Por desgracia también ha traído consigo un nuevo problema que es la crisis de identidad. Hoy en día las computadoras, los equipos electrónicos y las máquinas son capaces de llevar a cabo la mayor parte de las tareas de las que el hombre se enorgullecía de hacer en el pasado. No sólo así

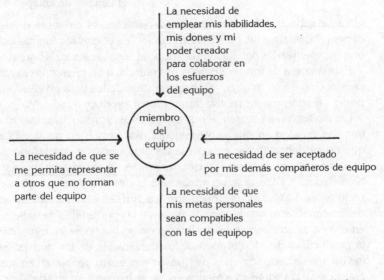

Figura 3. *Cada miembro del equipo trae consigo estas 4 necesidades a menos que estas necesidades se satisfagan, la contribución individual se verá limitada.*

sino que en la mayoría de los casos las máquinas pueden trabajar con mayor rapidez y cometiendo menos errores que los que pueden cometer las personas. Como resultado de ello, muchos se preguntan "¿Quién soy? ¿Cuál es mi papel en la vida? ¿En dónde encajo yo en la sociedad?"

Un psicólogo industrial me decía hace poco: "Se está volviendo de una importancia muy grande que los dirigentes y administradores reconozcan la necesidad de que las personas empleen sus habilidades sobre proyectos con sentido." Continuó diciendo: "La imagen que se forma de sí mismo el trabajador se halla ligada directamente a su percepción del valor y de la importancia de su contribución para llevar a feliz término una tarea dada."

Siendo ésta una verdad incontrovertible, el dirigente que desea desarrollar y mantener a un equipo o grupo de trabajo efectivo debe cerciorarse de que cada miembro del equipo emplee sus dones y talentos en hacer una contribución que tenga sentido hacia los fines y metas del equipo.

Lorena era la secretaria más competente de su grupo, trabajaba en la oficina del director de una escuela secundaria grande. Había trabajado como secretaria ejecutiva, encargada de oficina y en contabilidad. Había dirigido varios seminarios secretariales para principiantes en la carrera secretarial. Sin embargo por ser recién llegada al puesto, le tocaba desempeñar las tareas que otras secretarias no querían: archivar, separar la correspondencia y rellenar los sobres de la correspondencia para propaganda. A consecuencia de ello, no pudo demostrar sus habilidades ni destrezas. Se frustró en el trabajo y se resintió con sus compañeras. Empezó a sentir falta de seguridad en sí misma y antes de transcurridos los seis meses de principiado el trabajo, ella renunció. Su renuncia no se debió a que el trabajo era demasiado difícil, se debió a que sus habilidades y talentos no fueron empleados.

La necesidad de ser aceptado por los demás miembros del equipo. La persona no solamente necesita una oportunidad para emplear su destreza y habilidad en el servicio del equipo, sino también necesita la aceptación de sus compañeros de equipo. Este es un problema que a menudo se presenta con los recién ingresados al equipo.

Kathy Walters fue ascendida del puesto de jefe de oficina al de directora de personal en una organización de laicos voluntarios. Su nuevo empleo la hacía pertenecer al equipo de planeamiento del director. Kathy llevaba cuatro meses trabajando en equipo cuando ella me confió lo siguiente: "¿Cómo se puede trabajar en un equipo, si los demás miembros del equipo te tratan como si no pertenecieras al mismo?", preguntó indignada. "Llevo cuatro meses asistiendo a una sesión de planeamiento semanal con la sensación de que tanto mis ideas como mis opiniones sobran. No sé si por ser mujer o por tener mal aliento, pero si no quieren mi ayuda, el trabajo me sobra en mi departamento, para mantenerme ocupada."

Cuando la persona no se siente aceptada por los demás integrantes del equipo, por regla general se muestra poco dispuesta a colaborar con la meta del equipo. De esta manera es preciso que cada miembro del equipo se cerciore de que su aceptación por los demás es unánime. Esto no significa que todos los miembros tengan que estar de acuerdo siempre. Sin embargo sí significa que tanto la presencia como las ideas y la contribución personal deben ser reconocidas.

La necesidad de ir tras una meta que sea compatible con los objetivos personales. Esta es una de las necesidades más importantes que un miembro pueda aportar a su equipo. Es difícil que uno de los miembros se comprometa para servir a un equipo durante un período largo si sus miras personales no son compatibles con las de su equipo. Esta es la razón por la cual el dirigente debe integrar su equipo con personas que hallarán satisfacción personal y sentirán colmados sus deseos al contribuir a que el equipo logre sus objetivos y fines.

Cuando los objetivos personales coinciden con los del equipo se sentirá motivado para dedicar todo su tiempo, energía y destreza para asegurar que las metas del equipo sean satisfechas. Por otro lado, si existe conflicto entre las metas personales y las del equipo se verá tentado a dedicar su atención a sus fines personales con menoscabo de los del grupo.

Cuando se contratan nuevos miembros para el equipo, muchos administradores cometen el error de considerar exclusivamente las habilidades y aptitudes individuales sin indagar sus miras o fines. La existencia de habilidad y talento necesarios no garantizan que un miembro sea apto para integrar el equipo.

Eric Robinson tenía varios años de experiencia en la construcción de casas y de edificios comerciales. Con estas cualidades parecía la persona idónea para formar parte del comité constructor y administrador de los terrenos de la iglesia. Después de que se le hubo invitado repetidas veces, Eric acordó servir a "regañadientes".

Pero el interés de Eric residía en las construcciones nuevas y no en el mantenimiento de edificios viejos. A consecuencia de ello cada vez que le pedían que ayudara a reparar la iglesia respondía, que se debería invertir en un fondo para construir un edificio nuevo, en vez de gastar tiempo y esfuerzo en la reparación del antiguo. Tanto Eric como los demás miembros del comité se sintieron frustrados y Eric renunció eventualmente al grupo.

En este caso, los administradores no se cercioraron de que sus intereses y metas coincidieran con las del equipo, tan sólo evaluaron las habilidades del mismo. Eric tenía el talento necesario, pero sus fines personales diferían y eran incompatibles con los del equipo. Solamente se habían considerado sus habilidades. Eric estaba bien preparado, pero sus fines personales, sus intereses y sus metas entraban en conflicto con las del comité. El resultado fue que ambos se frustraron.

La necesidad de representar a un grupo diferente al del equipo. Todos los que integran el equipo traen consigo una dimensión "política" y a la vez una serie de necesidades al equipo. Esto es que cada persona consciente o inconscientemente lleva consigo la representación de las ideas y de los valores de sus amigos, compañeros, conocidos y personas con interés muy especial que a su vez se añade a los intereses del equipo.

Como ejemplo pondremos el de una directiva integrada por un hombre de negocios, un jefe de una misión religiosa y un catedrático de un seminario. Durante una junta el negociante piensa en la forma en que interpretaría una comunidad de negocios y haría énfasis en hacer dinero, el jefe de misión, pensaría en el impacto que lo dispuesto tendría sobre el personal misionero en diferentes partes del globo, y el profesor del seminario abordaría los aspectos teológicos de lo acordado y de la manera como afectaría a diversos grupos religiosos.

Para que un miembro sienta que está contribuyendo de veras a su equipo, él deberá poder comprobar que sus ideas y modos de sentir, se ven reflejados en la manera de actuar del equipo. Así si el comerciante no logra ver que sus opiniones coinciden con las opiniones comerciales del equipo, se sentirá fracasado en lo personal.

Esto nos lleva a la conclusión de que un dirigente no debe pedirle a una persona que sirva en un equipo, cuando sabe que los intereses de dicha persona no concuerdan o no pueden hallarse representados en el equipo por tratarse de intereses muy especializados y circunscritos.

La Clave para la Formación de un Equipo Productivo

La formación de una organización obedece a la necesidad que tienen los individuos de alcanzar metas que no son obtenibles por sí solos. Las organizaciones a su vez forman equipos para lograr

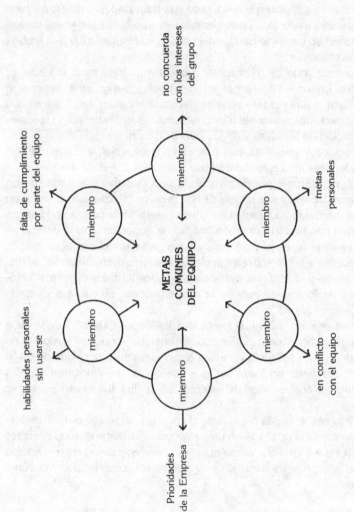

Figura 4. *En la parte central está puesta la meta del equipo. La meta es lo único que puede atraer a todos los miembros para constituir un equipo productivo. En la*

fines que no son alcanzables por individuos esta es la razón por la cual el organizar y el mantener equipos productivos constituyen una manera excelente de aumentar su productividad sin tener que aumentar su presupuesto o la inversión de capital.

Una buena meta u objetivo es la clave para desarrollar y mantener a un equipo productivo. El dirigente interesado en mantener un equipo efectivo se esforzará en interesar a los miembros del equipo en pulir y mantener clara la imagen de la meta. Esta participación en la meta hace que los integrantes se sientan dueños y participantes en los compromisos para mantenerla clara e incólume. El equipo se esfuerza más en mantener una meta que ayudó a concebir que en el mantenimiento de una que es ajena y extraña al equipo como lo ilustra la fig. 4; un miembro del equipo se sentirá atraído al equipo para trabajar en una colaboración más estrecha o bien se sentirá repelido por el mismo debido a la existencia de intereses conflictivos o necesidades no satisfechas, como se ilustra en la figura 4, si los miembros del equipo participan en desarrollar o aclarar la meta, habrá menos riesgo de que aparezcan conflictos o necesidades secundarias. Por otra parte si la meta del equipo se concibe y desarrolla aparte del mismo es muy probable que aparezcan uno o más motivos de conflicto. Cada motivo adicional reduce el acuerdo que el individuo tiene en cuanto a la meta del equipo.

Por consiguiente es obligación del líder o dirigente insistir en que sea el equipo el que formule su meta. Al hacerlo descubrirá que cumple mejor su cometido y desarrolla y mantiene un ambiente sin tensiones de trabajo.

Papeles Desempeñados por los Miembros del Equipo

La dinámica del equipo desempeña un papel importante para determinar el éxito o fracaso del mismo. Cada individuo desarrolla de manera contínua un papel positivo o negativo dentro del equipo. Del lado positivo encontramos la producción y el mantenimiento. Los del lado negativo pueden más bien definirse como papel anti equipo o contra equipo. El papel de producción concentra la atención en otras personas del equipo y el papel anti-equipo la concentra en la persona misma.

El papel de producción concentra la atención en una tarea o trabajo. La persona que colabora con la producción de un equipo generalmente desempeña uno de los papeles siguientes:

ORGANIZADOR: Trabaja con el grupo para identificar, asignar y distribuír obligaciones y actividades.

INICIADOR: Se limita a dar sugerencias y referencias que serán consideradas por el grupo.

DE RECOPILADOR DE DATOS: Su papel es el de reunir datos grabados y otro tipo de informaciones necesarias paa colaborar en el trabajo del grupo.

DE EXPEDIDOR: Es el que ayuda a mantener un flujo constante de comunicaciones necesarias para que el equipo alcance su meta.

DE EVALUADOR: Es quien estudia los resultados y contribuye en hacer los cambios que sean necesarios.

Papeles de mantenimiento enfocados en ayudar a otras personas del equipo:

DE ANIMADOR: Es el que se esfuerza en construir *una moral positiva dentro del equipo y promueve las ideas y los actos de los demás.*

DE SEGUIDOR: Este estimula a los demás a tomar la delantera y aprovecha sus habilidades en lo posible.

DE MEDIADOR: Es el que trata de mediar en los conflictos y acepta otras opiniones diferentes de las personales para beneficio del equipo.

DE PROTECTOR: Es el que intenta proteger a los miembros del equipo de las interferencias externas o internas que se oponen a la meta del mismo.

DE SIERVO: Hace lo que puede para resolver las necesidades de los distintos miembros del equipo conforme avanza el trabajo.

El papel anti-equipo enfocado hacia la persona misma. Cada miembro del equipo deberá evitar asumir cualquiera de los papeles siguientes, pues retardan el progreso y el éxito.

DE DOMINADOR: Es el que trata de dominar la conversación, las ideas y los actos de las personas dentro del equipo.

DE OBSTACULIZADOR: Retrasa, detiene y desvía todo progreso dentro del equipo.

DE EXHIBICIONISTA: Es el que trata de que las personas se fijen en él de manera continua y le reconozcan sus méritos.

DE ESQUIVADOR: Es el que rehúsa tomar decisiones, comprobar hechos y obligaciones personales dentro del equipo.

Cuando se forma un equipo y en diferentes períodos de su existencia, el dirigente o administrador deberá explicar estos papeles de producción y mantenimiento. El dirigente deberá también animar al grupo a mantenerse alerta para los papeles anti-equipo. A cada miembro se le debe hacer prometer que evitará esos papeles. No obstante, cuando aparezcan los demás miembros del equipo deberán llamar la atención al que es "culpable" y deben ayudarlo para volver a continuar su papel de producción y mantenimiento.

La forma de identificación de papeles (figura 5) debe emplearse periódicamente para que cada miembro pueda evaluar la manera como cada individuo se relaciona con otros integrantes del equipo.

Resumen del Capítulo

Un equipo puede definirse como dos o más personas que caminan juntas hacia un fin común. De acuerdo con esta definición, es posible que un grupo trabaje en conjunto sin formar un equipo. Cada equipo tiene comunicación efectiva que se encuentra centralizada alrededor de una meta común bien definida.

Los equipos se forman para que las personas rindan más de lo que lograría cada uno trabajando solo. Un equipo permite también a las personas emplear sus dotes, artes y habilidades con mayor efectividad.

El dirigente deberá enfocar sus esfuerzos para formar equipos de personas que se compensen las debilidades mutuas.

Cada miembro del equipo tiene cuatro necesidades claves que deben ser satisfechas por los demás miembros del equipo. Esas necesidades son: el empleo de las habilidades personales para contribuir al esfuerzo del equipo, la de poseer metas personales compatibles con las metas del equipo y la de representar a personas y grupos ajenos al equipo. Estas necesidades deben satisfacerse para que la persona sienta que está haciendo una contribución que tenga sentido para los fines del equipo.

Un dirigente o administrador debe tener presente que el equipo debe interesarse en desarrollar y refinar su meta o misión. La participación en fijar las metas le da al equipo un sentido de propiedad, que a su vez, estimula la identificación con la meta. Un equipo será más efectivo cuando sigue una meta que ayudó a fijarse en vez de una meta que le fue impuesta.

La dinámica del equipo representa un papel decisivo en el éxito o fracaso del mismo. Mientras se integra al grupo cada miembro desempeña uno o más de los siguientes papeles: de producción, de mantenimiento o papel anti-equipo. Los de producción tratan de ayudar al equipo en su tarea o esfuerzo. El papel de mantenimiento se dirige a ayudar a los demás miembros del equipo. Los papeles anti-equipo están dirigidos hacia la persona misma y tienden a disminuir la productividad de los demás,.

Aplicación Personal

1. Revise Eclesiastés 4: 9-13

a. ¿Qué razón hay para que el trabajo en equipo sea más productivo que el individual?

b. ¿Qué debería hacer usted para aumentar las oportunidades en equipo?

2. Estudie Efesios 4: 11-12

a. ¿Qué deberían usted y otros dirigentes de su organización estar haciendo para preparar mejor a su personal para llevar a cabo los trabajos del ministerio?

b. ¿Se podría llevar a cabo de modo más efectivo por medio de un equipo de trabajo mejorado?

3. Estúdiense las figuras 1 y 2. ¿Qué debería usted estar haciendo para ayudar a los miembros del equipo a incrementar sus fuerzas y a compensar las debilidades mutuas?

4. Estudie la figura 3. Cuando se reúna con su equipo, pregúnteles si las 4 necesidades claves han sido satisfechas. En caso contrario, pídales sus recomendaciones para lograrlo.

5. Reúnase con su equipo y pídales que hagan una evaluación de las metas y que determinen cómo se podrían mejorar.

6. Discuta con el equipo los diversos papeles que las personas

desempeñan. Haga que los miembros del equipo empleen la figura 5 para evaluarse los unos a los otros y determinar cómo mejorar sus relaciones de trabajo.

IDENTIFICACION DE CONDUCTAS

MIEMBROS

PRODUCCION												
Organizador												
Iniciador												
Recopilador de datos												
Expedidor												
Evaluador												
MANTENIMIENTO												
Animador												
Seguidor												
Negociador												
Protector												
Siervo												
ANTI-EQUIPO												
Dominador												
Obstaculizador												
Exhibicionista												
Esquivador												

Figura 5: Este gráfico puede emplearse para clasificar a los integrantes del equipo, según la conducta que observan en las sesiones. Póngase una X o marca en la columna que corresponde a cada nombre o número que identifique a un miembro según el papel que desempeña con más frecuencia, incluyéndose a sí mismo.

5
Las Buenas Relaciones de Trabajo

La Biblia hace énfasis en dos temas centrales: la relación del ser humano con Dios y con su prójimo. De los Diez Mandamientos, los cuatro primeros tratan de la relación del hombre con Dios y los seis últimos tratan de sus relaciones para con sus semejantes. Desde el libro del Génesis hasta el del Apocalipsis se nos recuerda, de manera constante, que estas relaciones debe ser correctas.

Es al segundo de estos temas, el de la relación correcta con su prójimo, al que se hará alusión ahora. El salmista exclamó: ¡Qué admirable, qué agradable que los hermanos vivan en armonía. (Salmo 133:1). Pablo se hizo eco de este tema cuando dijo: Hermanos, les suplico en el nombre de nuestro Señor Jesucristo que no discutan más, que reine entre ustedes la armonía y cesen las divisiones. Les ruego encarecidamente que mantengan unidad de pareceres, sentimientos y propósitos. (1 Corintios 1:10)

A la luz de estos pasajes de las Escrituras, el dirigente cristiano interesado en hacer uso de los principios bíblicos de administración deberá dedicarse a conseguir y mantener buenas relaciones dentro de su agrupación u organización.

Como muestra la figura 6, todas las habilidades de administración y de dirección-planeamiento, organización, liderazgo de personal y evaluación, tienen como base las buenas relaciones laborales. Lamentablemente es en estas relaciones en las que los dirigentes se encuentran menos preparados. Es importante darse cuenta que el

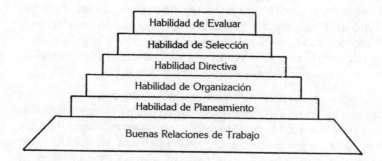

Figura 6. *Las buenas relaciones de trabajo son la base sobre la cual se asientan todas las relaciones de la administración.*

tiempo y el esfuerzo empleados en el planeamiento, organización, dirección, selección de personal y evaluación serán improductivos si el dirigente no consigue y mantiene buenas relaciones laborales.

En un seminario de administración recién celebrado, un jefe de personal me confió que aproximadamente el 90% de los cambios de personal en su compañía eran debidos a problemas de relaciones personales.

La jefe del departamento de recursos humanos y de adiestramiento de otra compañía corroboró: "En su mayoría nuestros jefes son genios técnicos", dijo ella. "Lamentablemente, son pocos los que saben crear buenas relaciones laborales en sus departamentos". Sonriendo ella continuó diciendo: "De hecho si la situación no mejora entre mi jefe y yo puede que tenga que buscarme otro empleo".

Cuando yo empecé como consultante y entrenadora de gerencia hice énfasis en la necesidad de que existiera un buen planeamiento, organización y distribución del personal. Sin embargo, a través de los años he observado que la tarea primordial del gerente es la de aprender a relacionarse con sus subordinados, sus iguales y sus superiores.

Principios Sobre los que se Basan las Relaciones Humanas

El dirigente que está interesado en implementar un modelo bíblico de administración debe aplicar los principios bíblicos a las relaciones humanas. El sistema del mundo promueve el "yo" en las relaciones. El enfoque moderno hace énfasis en ser agresivo y hacer que otros satisfagan nuestras necesidades. Por el contrario, el enfoque bíblico se basa en suplir las necesidades de los demás.

Todas las relaciones humanas giran alrededor de las necesidades personales. Todas las personas tienen necesidades que sólo pueden ser satisfechas a través de las relaciones con otros individuos. Aunque Adán vivió en un ambiente geográfico perfecto, en el Huerto del Edén, y aunque gozó de una perfecta relación espiritual con su Hacedor, Dios dijo, "No es bueno que el hombre esté solo" (Génesis 2: 18). Esta evaluación no sorprendió a Adán porque él había sentido necesidades que tan sólo podrían satisfacerse mediante una relación con otra persona.

El dirigente debe recordar que las personas necesitan de otras, y que la función de las relaciones interpersonales es la de suplir todas las necesidades que le son propias. El no saber reconocer estos principios básicos le ha causado serios problemas, a muchos dirigentes, en las relaciones con otros en su organización o grupo.

El presidente de una organización Cristiana me dijo una vez, "Prefiero encargarme de las cuentas que de las personas. Cuando me equivoco con los números, todo lo que tengo que hacer es sacar mi goma de borrar, pero no sé qué hacer cuando cometo un error en el trato con las personas".

Conversando con algunos de los empleados de ese señor, estaba muy claro que ellos conocían sus sentimientos. Su secretaria dijo, "Es un hombre muy dedicado, y trabajador pero no parece darse cuenta de que nosotros también tenemos necesidades.

Las personas establecen relaciones con otros porque tienen necesidades que sólo pueden ser satisfechas por los demás. Por ejemplo, el presidente que acabamos de mencionar necesitaba una secretaria y ella necesitaba un empleo, así que ellos establecieron una relación de trabajo. Sin embargo, para poder trabajar en buena armonía tanto el presidente como la secretaria deben reconocer las necesidades que tienen el uno del otro. El necesita de las habilidades de ella y ella necesita de su aprobación.

Las relaciones humanas se establecen satisfaciendo las necesidades. El satisfacer las necesidades de otros es la clave para crear y mantener buenas relaciones de trabajo. El enfoque bíblico en cuanto a la dirección y administración hace hincapié en suplir las necesidades de las personas a medida que éstas cumplen sus tareas. Si el dirigente cristiano no logra aplicar este principio, él o ella se verá rodeado de problemas en sus relaciones .

Las relaciones sufren cuando no quedan suplidas las necesidades. Así como las necesidades que se suplen fortalecen las relaciones humanas, las necesidades que no se satisfacen hacen que éstas se desintegren. No encontrará a personas, que tengan en mente divorciarse si el cónyuge está satisfaciendo debidamente sus necesidades. Por el contrario, se divorciarán cuando muy pocas de ellas se satisfacen. Lo mismo se aplica a las organizaciones. Los empleados se molestan cuando los supervisores no suplen sus necesidades.

¿Ha oído alguna vez a un empleado decir, "Aquí necesitamos de un sindicato porque la administración está supliendo demasiado nuestras necesidades?" ¡Qué ridículo! Los empleados votan para formar un sindicato cuando sienten que los dirigentes de la compañía se niegan a satisfacer sus necesidades.

Cuando las necesidades no se suplen el resultado siempre es la frustración y el resentimiento, pero cuando éstas se suplen siempre produce satisfacción y bienestar.

Tipos de relaciones humanas que encontramos en las organizaciones. Las relaciones humanas que encontramos en las organizaciones, así como en los matrimonios y en las amistades, pueden ser clasificadas en cuatro estilos básicos: el de *cooperación,* el de *represalia,* el de *dominio* y el de *aislamiento.* Todas las relaciones tienen la tendencia a comenzar en forma de cooperación y continuarán en la misma forma mientras se satisfagan las necesidades dentro de la relación.

Cuando las necesidades no se satisfacen hace su aparición otra forma de relación que es la represalia. Entonces una persona o un grupo intenta dominar al otro para poder satisfacer sus necesidades. Tan pronto como lo logra, se establece una nueva forma de relación que constituye la dominación. En este caso el dominante usa a la otra persona o grupo para satisfacer sus necesidades. Tan pronto el que está siendo dominado, ya sea persona o grupo, se da cuenta de que sus necesidades no serán satisfechas, y que su situación es desesperada, pasa a una situación de aislamiento. Esta es la última etapa antes de que la relación llegue a su fin.

Examinemos cada uno de estos tipos de relaciones humanas más detenidamente:

Condiciones Existentes en una Relación de Cooperación

Cuando una relación comienza, se desenvuelve en un estilo de cooperación y se distingue por las condiciones siguientes:

- La existencia de un compromiso mutuo para satisfacer las necesidades de la otra persona.
- Que se ponga más interés en los demás que en uno mismo.
- Que exista la confianza y el respeto mutuo.
- Que exista el intercambio recíproco de los dones, los talentos y el poder creador.
- Que la búsqueda de la solución de sus problemas se haga en conjunto.
- Que haya una entrega personal en la relación.
- Que la relación se fortalezca de manera continua.

Para satisfacer las necesidades de otra persona. Filipenses 2:3-4 constituye un ejemplo claro de cooperación: "No hagan nada por rivalidad ni por vanagloria. Sean humildes; tengan siempre a los demás por mejores que ustedes. Cada uno interésese no sólo en lo suyo sino también en lo de los demás". Para evitar las acciones y móviles egoístas, debemos concentrarnos en satisfacer las necesidades de los demás.

Poner más interés en lo de los demás que en uno mismo. La forma de cooperación hace hincapié en los demás y en sus necesidades. Eso quiere decir que el objetivo de esa relación es el de servir a los demás supliendo sus necesidades. Si cada persona que forma parte de la relación aplicara Filipenses 2:3-4, todos estarían satisfechos.

Que exista la confianza y el respeto mutuo. La gente le tiene confianza y respeto a aquellos que suplen sus necesidades. Por lo tanto, las personas que operan según la forma de cooperación, experimentan la armonía dentro de su grupo o equipo, dusfrutando la compañía mutua y los móviles de los demás difícilmente serán puestos en duda.

Que exista el cambio recíproco de los dones, los talentos y el poder creador. La forma de cooperación no sólo trata de suplir las necesidades que tienen que ver con el trabajo, sino que permite al mismo tiempo que las personas puedan contribuir con sus dones, talentos y poder creador a las actividades comunes a la relación. Las personas no sentirán que se les "deja fuera", mientras funcionen en una relación de cooperación, porque tendrán un alto nivel de participación.

Que la búsqueda de la solución de sus problemas se haga en conjunto. En una relación donde hay cooperación, las personas involucradas en o afectadas por un problema particular, participan en la solución del mismo. Esto permite que se obtenga la mejor solución posible, ya que las personas se interesan en que las necesidades de los demás también sean satisfechas.

Que la relación sea productiva. La relación de cooperación es saludable y productiva. Las tensiones son mínimas, y la energía se utiliza para suplir las necesidades y no para discutir por intereses egoístas. Como resultado, las personas sentirán una gran satisfacción al mantener esta forma de relación.

Que haya una entrega personal en la relación. Cuando las personas experimentan la confianza y el respeto mutuo, usan los dones y los talentos, y cuando sienten que unidas han logrado algo, consiguen una entrega muy real en su relación. Esto quiere decir que mientras más surja la relación bajo la forma de cooperación, más fuerte serán los lazos que los unen.

La relación bajo la forma de cooperación hace hincapié en el servir antes que ser servido, pero las personas no siempre operan bajo la forma de cooperación. A la larga, la persona comenzará a pensar. En este caso en particular, mi necesidad es más apremiante que la tuya. Esta decisión de satisfacer mis necesidades antes que la de los demás marca el comienzo de una relación bajo la forma de represalia.

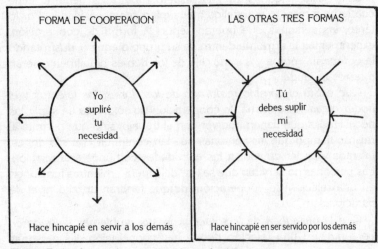

Figura 7. *La forma de cooperación es la única que se concentra en los demás. Las otras tres formas se concentran en el yo.*

Condiciones en una Relación de Represalia

La forma de represalia comienza cuando el egoísmo anula al deseo de servir. De vez en cuando todos nosotros caemos en esta forma de relación porque le damos más importancia a nuestras necesidades (o a hacer nuestra voluntad), más bien que ocuparnos en suplir las necesidades de los demás.

La transformación de la forma de cooperación a la de represalia comienza de una manera sutil, quizá sin que se note. Sin embargo, siempre llega a manifestarse como un conflicto.

La forma de represalia implica lo siguiente:

- Intentar obligar a los demás a hacer lo que tú quieres
- Comportamiento agresivo hacia los demás
- Actitudes que consideran a la otra persona como un obstáculo en tu camino, no como una persona con necesidades propias
- Lucha por el dominio
- Conflicto constante
- Al final, habrá un ganador y un perdedor

Esfuerzo por obligar a los demás a hacer lo que tú quieres. En las primeras etapas de la forma de represalia, se observan intentos sutiles por lograr que la otra persona ceda a tus deseos. No obstante, si estos encubiertos no tienen éxito, se adoptan medidas más fuertes.

Actos agresivos hacia los demás. Conforme una persona se vuelve más ególatra, más abiertamente agresivos serán sus actos; intentará forzar a los demás a que le sirvan para que satisfagan sus necesidades. Los líderes hacen esto frecuentemente aprovechando su posición para ejercer presión sobre la gente y que ésta haga lo que ellos quieren.

Actitudes que consideran a la otra persona como un obstáculo en su camino, no como una persona con sus propias necesidades. Cuando se profundiza en esta relación de represalia, más ególatra se vuelve uno. A la postre, todo aquel que no esté de acuerdo con él o no quiera actuar conforme a sus deseos es visto como un obstáculo o una barrera. Al llegar a este punto rápidamente se pierde el interés por las necesidades de los demás.

Lucha por el dominio. Cuando una persona comienza a ver a los demás como impedimento para obtener su satisfacción personal, trata de controlar o dominar a los demás. Al llegar a este punto, está completamente convencido de que sus necesidades, ideas y sentimientos son los más importantes, y por lo tanto, se siente justificado al tratar de dominar a los demás. Surge entonces la actitud: "Lo mejor para mí es lo mejor para tí".

Conflicto continuo. Una vez comenzada la lucha por el dominio, comienza también el período de conflictos. En esta fase de la forma de represalia, una persona trata de sobresalir como figura autoritaria que puede controlar a los demás. Por el dominio sobre los demás él piensa que puede asegurar que sus necesidades queden satisfechas.

Al final habrá un ganador y un perdedor. En un momento dado en el tiempo, una persona surge como la fuerza dominante en la relación y todos los demás se rinden regularmente a sus deseos mientras que las necesidades de los demás no quedan satisfechas. Al llegar a este punto la relación adquiere una nueva forma.

Vale la pena repetir aquí que la forma de represalia nace de un móvil egoísta el deseo de satisfacer nuestras necesidades propias a costa de las de otros. El individuo comienza a comportarse agresivamente para obligar a los demás a satisfacer sus necesidades y toma medidas vengativas si ellos no le complacen.

Jesús condenó la venganza, de esta manera:

La ley de Moisés dice: "Ojo por ojo y diente por diente". Pero yo digo: No pagues mal por mal. Si te abofetean una mejilla, presenta la otra., Si te llevan a juicio y te quitan la camisa, dales también el saco. Si te obligan a llevar una carga un kilómetro, llévala dos kilómetros. Dale al que te pida, y no le des la espalda al que te pide prestado. Mateo 5:38-42.

Jesús parece estar diciendo: "Aunque la gente se aproveche de ti y te engañen, no dejes de servirles". El no aplicar este principio nos lleva al egoísmo, a la manera de ser de represalia y finalmente al dominio.

Condiciones Existentes en una Relación de Dominio

En una relación de cooperación cada uno se esfuerza voluntariamente por suplir las necesidades de los demás. Sin embargo, cuando una persona gana en la lucha por el control y ésta pasa a la forma de dominación, requiere que los demás suplan sus necesidades, mientras él o ella rara vez sirve a los demás.

La forma de dominación presenta las siguientes características:

- El "perdedor" es controlado por el "ganador"
- La personalidad del perdedor queda "ahogada"
- Se pierde el respeto mutuo
- La creatividad y los talentos del perdedor no se utilizan
- El perdedor recurre a la manipulación
- El perdedor concluye, al fin, que su situación es desesperada y no trata de satisfacer sus necesidades.

El "perdedor" es controlado por el "ganador". En esta forma de dominio, el ganador de la lucha por el control se convierte en el que toma todas las decisiones. Sólo se requiere que los demás estén de acuerdo con los deseos y las ideas del que domina.

Se "ahoga" la personalidad del perdedor. Mientras el estilo de dominación progresa, la persona dominante empieza a obligar a los otros a que se conviertan en lo que él quiere que ellos sean. El trata de controlar la manera cómo piensan y actúan los demás, y no acepta ideas contrarias a las suyas. Finalmente requiere de los que son dominados que renuncien a su propia personalidad y que tomen la personalidad que el dominador quiere que ellos tengan.

Se pierde el respeto mutuo. A la larga, las personas en una relación de este estilo se pierden el respeto. El que domina no respeta a los que controla, y ninguno lo respeta a él. Cuando esto ocurre, la preocupación por las necesidades de los demás también disminuye.

La creatividad y los talentos del perdedor no se utilizan. Cuando la persona dominante pierde el respeto hacia los demás, también pierde interés en sus talentos y habilidades y comienza a promover sus propias habilidades y creatividad. El se asegura de que la relación gire alrededor de lo que él puede y quiere hacer -de su fuerte-y desprecia cualquier idea o actividad que no lo promueva a él y a sus talentos.

El perdedor recurre a la manipulación. Finalmente, los que se ven dominados, intentan manipular al que domina para poder satisfacer sus propias necesidades. Sin embargo, la manipulación nunca da resultado, sino que tiende a añadir a los problemas que ya se están creando en la relación. En la mayoría de los casos, el que domina trata de administrar alguna disciplina a los dominados, los manipula para así impedir que vuelvan a hacerlo.

El perdedor concluye que la situación es desesperada y no trata de que sus necesidades sean satisfechas. Cuando se llega a este punto las personas que son dominadas se sienten rechazadas, y piensan que sus necesidades nunca van a ser satisfechas. Entonces ellos toman el primer paso hacia una nueva forma de relación, la de aislamiento. Son siempre los dominados los que inician esta relación de aislamiento.

Condiciones Para que se Cree una Relación de Aislamiento

Al llegar a este punto, la relación está degenerando rápidamente como lo indican las siguientes circunstancias:

- Se ignora a la otra persona
- Termina toda comunicación
- Hay desconfianza mutua

- Problemas sin resolver
- Necesidades sin satisfacer
- Falta de interés mutuo
- Disminución de la producción
- Fin de la relación

Se ignora a la otra persona. Esta es la primera fase de aislamiento en las relaciones. La persona o personas que son dominadas comienzan a no tomar en cuenta la opinión del que domina, y así comienza el aislamiento.

Termina toda comunicación. Cuando las personas comienzan a ignorarse unas a otras, la comunicación entre ellas se destruye. Cada cual ignora lo que la otra está pensando o lo que siente. Los individuos se vuelven más reservados y aislados.

Hay desconfianza mutua. La falta de comunicación contribuye a aumentar la desconfianza en las relaciones. Los móviles son puestos en duda y la hostilidad aumenta. Cuando éste es el caso, todos se ponen a la defensiva y surgen las disputas y cada uno señala al otro con un dedo acusador.

Problemas sin resolver. Parece que la relación se ve plagada de problemas para los que aparentemente no hay solución. Por lo tanto, los problemas quedan si resolver. Ninguno está dispuesto a aceptar la responsabilidad por haberlos causado, y siempre se rechazan las recomendaciones de un individuo en cuanto a una posible solución.

Necesidades sin suplir. Cuando la relación llega al punto del ailamiento, la mayoría de las necesidades no están siendo suplidas. Esta insatisfacción hace que las personas se vuelvan más y más egoístas y frustradas. Como indicamos anteriormente, el que las necesidades no se suplan destruye las relaciones.

Falta de interés mutuo. Cuando las personas se vuelven egoístas la preocupación mutua por los que tienen a su alrededor disminuye. Al paso que la relación continúa empeorando, cada individuo tiende a pensar solamente en sí mismo y en sus necesidades y pierde todo interés por suplir las necesidades de los demás, y la persona no se da cuenta de que su propio egoísmo está hiriendo a los otros, porque se concentra sólo en sí mismo. Una actitud de autoconmiseración prevalece en las relaciones.

Disminución de la producción. Entonces la relación ha dejado de ser productiva. No se suplen las necesidades ni se resuelven los problemas. Como la comunicación ya se ha destruido no hay mucha esperanza de una mejoría. Se comienza a desesperar.

Fin de la relación. En la mayoría de los casos las relaciones se terminan en este punto. Por desgracia, una relación que comenzó con una entrega mutua y un deseo de suplir las necesidades del otro, puede acabar cuando el egoísmo comienza a controlar la actitud de las personas. La decisión de que las necesidades propias sean satisfechas a costo de las de los demás es la causa principal de que se desmoronen las relaciones. El resultado final puede verse comparando las condiciones existentes en la forma de cooperación con las presentes en la forma de aislamiento.

Medios para Volver las Relaciones Nuevamente a la Forma de Cooperación

Todos hemos experimentado problemas en las relaciones humanas (de vez en cuando), por lo tanto, es importante que sepamos cuáles son las causas de estos problemas, y cómo podremos hacer volver la relación a la forma de cooperación. Muchos cristianos se han dejado engañar, pensando que una persona piadosa nunca experimentará problemas en sus relaciones personales. Tal pensamiento es muy peligroso porque puede hacerle a uno creer que si tenemos problemas en las relaciones humanas esto es una señal de que no somos muy maduros espiritualmente.

Los cristianos a menudo tratan de reprimir sus problemas y no tratarlos abiertamente para que puedan ser resueltos. Uno debe tener en mente que - el *reprimir los problemas -y como resultado el no enfrentarlos- es lo que indica la falta de madurez espiritual, y necesariamente el problema en sí.* La persona madura se enfrenta con los problemas cuando se presentan y decide encontrar la solución. Por otra parte, la persona inmadura frecuentemente trata de ignorar los problemas y evita enfrentarse con sus causas.

Esta actitud no es bíblica. Jesús dijo: "Por lo tanto, si mientras estás delante del altar ofreciendo sacrificio a Dios, te acuerdas de pronto de que algún amigo tiene algo contra ti, deja allí el sacrificio delante del altar, ve a pedirle perdón y a reconciliarte con él, y luego regresa a ofrecer el sacrificio. (Mateo 5:23-24).

Por lo tanto, tan pronto como una relación comience a salirse de la forma de cooperación, deben tomarse los pasos siguientes:

- Reconozca la forma actual de sus relaciones (ver Santiago 5:16)
- Reconozca que su egoísmo es pecado, y pídale perdón a Dios y a las personas de quien lo necesita (ver Colosenses 3:13; Mateo 6:14-15)
- Decida crear la forma de cooperación en sus relaciones (ver Filipenses 2:3-4)
- Comience a actuar movido por el amor (ver 1 Corintios 13:4-7)
- Comience dando gracias a Dios por los demás que forman el grupo (ver 1 Tesalonicenses 5:18; Santiago 1:2-4)

Los pasos que se describen en esta lista no son casi nunca fáciles. Sin embargo, Dios nos ha dado estos principios para que sirvan como medios para restaurar nuestras relaciones a un estado de cooperación y producción.

Reconozca la forma actual de sus relaciones. "Confiésense sus pecados unos a otros". (Santiago 5:16) Este es el punto de partida para restaurar las relaciones. Hasta que una persona esté dispuesta a reconocer su contribución a un problema y a confesar su error, no hay esperanza de que la relación mejore.

Desgraciadamente, por lo general es más fácil ver las faltas de los demás que ver las nuestras. Jesús dijo: "No critiques para que no te critiquen, porque te han de tratar de la misma forma en que trates a los demás. ¿Y cómo vas a andar preocupándote de la paja que está en el ojo de tu hermano si tienes una viga en el tuyo? ¿Cómo te vas a atrever a pedirle a tu amigo que te deje sacarle la paja si la viga que tienes en el ojo no te deja ver?" (Mateo 7:1-4)

En este pasaje Jesús explica claramente que debemos concentrarnos en nuestros propios errores y debilidades y no criticar a los demás. Ese es el primer paso para restaurar las relaciones a la forma de cooperación.

Reconozca que su egoísmo es pecado y pídale perdón a Dios y a los de quien lo necesita. En Colosenses 3:13 y Mateo 6:14-15 se nos dice que perdonemos los unos a los otros. Este es uno de los pasos más importantes para restaurar una relación a la forma de cooperación. Debemos extender nuestro perdón a los demás y también pedir perdón. Por desgracia, el pedir perdón es una de las cosas más difíciles de hacer, especialmente si sentimos que tenemos la razón y que los demás están equivocados.

Decida crear la forma de coopeación en sus relaciones. Cuando describimos anteriormente la forma de cooperación, citamos Filipenses 2:3-4, "no hagan nada por rivalidad, ni por vanagloria. Sean humildes; tengan siempre a los demás por mejores que ustedes. Cada uno interésese no sólo en lo suyo sino también en lo de los demás." Es importante reconocer que la falta de cumplimiento de este pasaje fue lo que destruyó la forma de cooperación. Por consiguiente la aplicación de este principio es lo que permite de nuevo volver a la forma de cooperación en las relaciones.

Principie a actuar motivado por el amor (Corintios 13:4-7) Estos versículos definen al amor en acción -el concentrarse en los demás y no en el yo. No basta con decirle a alguien que lamentas la forma en que te comportaste, debes cambiar tu comportamiento. Este pasaje describe la manera en que debemos actuar con los demás; debemos ser pacientes y bondadosos, nunca celosos o envidiosos, nunca presumidos, orgullosos, ni groseros o egoístas. Esto es sólo para empezar.

Comienza dando gracias a Dios por los demás. No es fácil siempre llevarse bien con todos. Frecuentemente los demás nos irritan y preferiríamos evitarlos. Debemos recordar que: "La discusión amistosa es tan estimulante como las chispas que saltan cuando se golpea hierro contra hierro". (Proverbios 27:17) Es posible que nuestra irritación indique una debilidad en nuestro carácter. Las escrituras nos dicen que debemos ser agradecidos durante las pruebas porque ellas ayudan a perfeccionarnos (ver Santiago 1:2-4). Por lo tanto, es importante darle gracias a Dios por las personas con quienes tratamos, aunque experimentemos conflictos en nuestras relaciones.

Reglas para Garantizar la Existencia de una Manera de Actuar Bajo la Forma de Cooperación

Para mantener la cooperación en las relaciones, aplíquense los siguientes pasos:

Ataque al problema y no a la persona. Cuando las personas no suplen nuestras necesidades, tenemos la tendencia de atacarlas a ellas en vez de atacar el problema. Si se ataca a la persona y no al problema, esto causará que la relación de cooperación se convierta en una relación de represalia.

Expresa tus sentimientos, no los proyectes en tus actos. Dí cómo te sientes, y por qué, en vez de comunicar tus sentimientos por tu forma de actuar. El proyectar nuestros sentimientos de esta manera nos lleva a malentendidos, a rencores y además a sentimientos dolorosos.

Cuando te hieran: perdona, no guardes rencor ni juzgues.

Decide dar más de lo que recibes. La clave para la relación de cooperación es dar más de lo que se recibe. Siempre haz hincapié en satisfacer las necesidades del otro. Si todos hicieran esto en la relación, todas las necesidades estarían de contínuo satisfechas y la relación siempre permanecería en la fase de cooperación.

Jesús dijo: "Nunca critiques ni juzgues a nadie para que no te lo hagan a ti. Perdona para que te perdonen, porque el que da recibe. Lo que des regresará a ti en medida buena, apretada, remecida para que quepa más, y rebosante. Con la misma medida con que midas lo que das, medirán lo que te devuelvan." (Lucas 6:37-38) Si nos concentramos en satisfacer las necesidades de los demás, entonces ellos a su vez querrán suplir las nuestras.

Finalmente, Romanos 12:9-21 provee el modelo para la conducta cristiana en las relaciones personales. Este pasaje comienza afirmando que el amor sea sin fingimiento. Recalca que los Cristianos deben satisfacer las necesidades de los demás aun cuando sean perseguidos, y que no deben tomar venganza.

Aplicación Personal

1. Repase las cuatro formas de relaciones que se presentan en este capítulo y úselos para evaluar sus relaciones presentes.

2. Medite en Filipenses 2:3-4, "No hagan nada por rivalidad ni por vanagloria. Sean humildes; tengan siempre a los demás como mejores que ustedes. Cada uno interésese no sólo en lo suyo sino también en lo de los demás." Y haga una lista de lo que usted puede hacer para suplir, con más eficacia, las necesidades de los demás en el trabajo, en el hogar, en la iglesia y en su vecindario.

3. Determine cuáles son los aspectos dentro de sus relaciones y aplique los cinco pasos que se presentan en este capítulo para restaurar sus relaciones de cooperación.

Capítulo 6
PLANEAMIENTO

Mientras intentaba describirme su empleo el vice-presidente de una misión me dijo: "Mi título debería ser el de vice-presidente encargado de apagar incendios. Me paso el tiempo en correr de un lado a otro evitando que los incendios de la organización se extiendan", concluyó diciendo: "No lo planeamos así, simplemente sucede de ese modo."

Su última frase era muy exacta porque cuando no se planean bien las cosas simplemente "suceden". Lamentablemente, como mi amigo se daba cuenta, muchos de esos sucesos resultaban indeseables o perjudiciales para la organización.

La falta de planeamiento pone a las personas lo mismo que a las organizaciones a la defensiva en vez de en la ofensiva. Como el Vice-Presidente de quien hablamos, las personas se ven envueltas en la necesidad de tener que reaccionar frente a cada crisis más bien que aplicar planes de acción preparados de antemano. Así que se pasan la mayor parte de su tiempo apagando los incendios de la organización.

En contraste con esto, leemos en las Escrituras: "Toda empresa tiene por fundamento planes sensatos, se fortalece mediante el sentido común y prospera manteniéndose al día en todo." (Prov. 24:3-4)

Una organización misionera tiene una tarea claramente determinada. Jesús dijo: "Vayan por todo el mundo y prediquen el Evangelio a toda criatura." (Marcos 16:15). Hoy en día, "Todas las criaturas" se componen de más de cuatro billones de personas y para el año 2000 habrá más de 7 billones de personas.

Para mantenerse a la par con el crecimiento de la población en esta década, se les debe predicar el evangelio a más de 62 millones de personas. Esto es, sin tomar en cuenta el aumento en el porcentaje de los que se llaman a sí mismos cristianos.

La magnitud de la empresa nos indica que esto no se logrará apagando simplemente los incendios de la organización. Los dirigentes de nuestras organizaciones cristianas deben emplear técnicas efectivas de planeamiento, si quieren contribuir en mayor grado a la evangelización del mundo en esta década.

La Biblia tiene mucho que decir acerca del proceso de planeamiento y nos da muchos principios en cuanto a cómo llevar a cabo ese planeamiento. Por lo tanto, el dirigente cristiano o administrador deberá buscar en la Palabra de Dios la dirección necesaria con relación a planear los proyectos y actividades necesarios para llevar a término la obra de Dios.

Definición del Planeamiento

El planeamiento consiste en la identificación total de un objetivo o proyecto, las actividades que se van a llevar a cabo, su secuencia u orden y los recursos necesarios para llevarlo a cabo. Si falta alguno de estos cuatro elementos los planes tendrán menos probabilidad de éxito.

El Punto de Partida: Dios Tiene un Plan Para Ud.

El proceso de planeamiento de un dirigente cristiano tiene una característica única, el hecho que parte de la base de que "Dios tiene un plan" y un objetivo para la organización cristiana y su gente. "Pues conozco los planes que para ustedes tengo, dice el Señor: son planes de bien y no de mal para darles un futuro y esperanza" (Jeremías 29:11). Dios también dice: "Yo te instruiré dice el Señor y te guiaré por el camino mejor para tu vida; yo te aconsejaré y observaré tu progreso" (Salmo 32:8). Dios dijo a Jeremías: "Yo te conocí antes de que fueras formado en el vientre de tu madre, antes que nacieras te santifiqué y te elegí como vocero mío ante el mundo. (Jeremías 1:5).

En estos pasajes y en muchos más, Dios indica claramente que El posee un plan para su pueblo. Por lo tanto, el primer paso en el proceso de planeamiento es reconocer este hecho y pedirle a Dios su dirección.

No obstante, precisamente porque Dios tiene planes para las organizaciones y para los individuos, hay personas que se valen de esto como excusa para no planear. El presidente del comité de una iglesia me dijo: "Que él pensaba que era un pecado planear". "¿Por qué planear?" preguntó: "Yo sé que Dios está dirigiendo, de manera que yo simplemente confío en El". Mi pregunta es: ¿para qué?

Por otra parte, hay dirigentes cristianos que creen que deben hacerlo todo. No solamente planean cada detalle, sino también piensan que ellos son los que deben obtener los resultados. No se puede pensar así en una organización cristiana. Pablo aclara este punto al decir: "Mi tarea fue sembrarles la semilla en el corazón, y la de Apolos fue regarla; pero Dios y no nosotros, fue el que permitió que germinara." (1 Corintios 3:6).

El dirigente cristiano debe darse cuenta, que su tarea consiste en determinar las direcciones que Dios quiere que él tome y luego confiar en Dios para los resultados. Como dice la Biblia: "El hombre propone y Dios dispone" (Proverbios 19:21).

Dios es la Fuente del Poder para Llevar a Cablo los Planes

Cuando el dirigente cristiano se convence de que Dios tiene un plan, el paso siguiente es el de darse cuenta que Dios es la fuente del poder para llevar a cabo este plan. Este principio nos lo muestra el pasaje (Hebreos 11:32-34). "Tiempo me faltaría para hablar de la fe de Gedeón, Barac, Sansón, Jefté, David, Samuel y de todos los profetas; que por medio de la fe conquistaron reinos, administraron justicia, escaparon de las fauces de los leones, apagaron la furia de las llamas y escaparon del filo de la espada; cuya debilidad se tornó en fuerza; y que se volvieron poderosos en la batalla y derrotaron a ejércitos enemigos."

Sin duda, los sucesos relatados fueron precedidos por muchas horas de planeamiento. Sin embargo, este pasaje nos muestra que los planes se basaban en la fe en Dios para lograr los resultados. Porque en verdad: "Debemos hacer planes confiados en que Dios nos dirigirá" (Prov. 16:9). Por lo tanto el dirigente cristiano al reconocer que Dios tiene un plan debe primero ponerse en oración y enseguida buscarlo. Una vez que los planes se han formalizado y ejecutado debe poner su confianza en Dios para obtener buenos resultados.

El Planeamiento Principia por la Identificación del Objetivo.

Ya dijimos anteriormente que el planeamiento consistía en identificar el objetivo total del proyecto, las actividades a llevar a cabo, su orden y los recursos necesarios. La primera parte de la definición se refiere a la identificación del objetivo y es aquí donde todo planeamiento debe principiar.

El objetivo trata de responder a las preguntas de por qué en los asuntos tales como:

¿Por qué es esto importante?

¿Por qué debo yo interesarme?

¿Por qué es necesario que se haga esto?

¿Por qué debe dársele prioridad?

La definición del objetivo motiva a las personas a unirse para llevar a cabo una causa determianda. Jesús siempre asignó tareas a la gente, una vez que se unían a la causa. Por ejemplo: Jesús comenzó su ministerio diciéndoles a los discípulos en potencia: "Vengan conmigo y los convertiré en pescadores de hombres (Mat. 4:19).

Jesús exponía claramente el objetivo a quienes le seguían. Terminó su ministerio compartiendo con ellos algunos de los detalles en cuanto a cómo lograr su objetivo. "Por lo tanto, vayan y hagan discípulos en todas las naciones. Bautícenlos en el nombre del Padre, del Hijo y del Espíritu Santo". (Mat. 28:19).

Nehemías explicó a los que trabajaban con él el propósito que tenía el reconstruir el muro que rodeaba a la ciudad de Jersualén. "Ustedes conocen bien el estado calamitoso de nuestra ciudad, está en ruinas y las puertas están quemadas. ¡Vamos! Reedifiquemos los muros de Jerusalén y quitemos de nosotros este oprobio." (Neh. 2:17).

Dios le explicó a Noé el objetivo cuando le pidió que construyera un arca para él y su familia y los animales (véase Gen. 6:9-22). Noé era un hombre justo, perfecto, que siempre trataba de actuar de acuerdo con la voluntad de Dios, a pesar de la corrupción reinante.

Noé hizo todo lo que Dios le mandó y, a la vez, Dios respondió a la pregunta de Noé de ¿por qué? Este principio se observa en toda la Biblia. Sin embargo, con frecuencia pasa desapercibido, a pesar de ser un factor importante en el proceso de planeamiento.

El planeamiento es un trabajo arduo porque, a veces, desanima. Esta es la razón por la cual es importante al empezar a realizar planes dar a conocer el objetivo total y la función del proyecto que se está planeando. Un fuerte sentido del propósito ayuda a fortalecer la convicción y la dedicación necesarias para el planeamiento de la obra. Si el objetivo no se comprende, el planeamiento se considera simplemente como "más trabajo" para los que participan en él.

Un miembro de la directiva de la Iglesia me dijo una vez que consideraba las reuniones anuales como una pérdida de tiempo. "No sé por qué se llevan a cabo estas reuniones, realmente lo que deberíamos hacer es continuar haciendo lo mismo que hemos estado haciendo hasta ahora. El problema consiste en que nadie sabe por qué empezamos con estos programas en primer lugar." Desgraciadamente la mayoría de las reuniones sirven de muy poco, a menos que, el objetivo se haya entendido con claridad, como una actividad que puede convertirse en un rito tradicional llevado a cabo de una manera inconsciente.

Por lo tanto, cada sesión de planeamiento debería de comenzar respondiendo a la pregunta: "¿Por qué estamos haciendo esto?" La respuesta a esta pregunta representa el propósito. Si éste cubre una verdadera necesidad, las personas que participen se darán cuenta de la importancia que tiene el planeamiento.

Conciba una Visión del Plan Completo

La visión es la imagen mental del plan terminado, y estimula a la acción, lo mismo que la innovación y el poder creador. Como el objetivo o la causa, la visión motiva a las personas a reforzar su dedicación al proyecto. También ayuda a crear la unidad en el grupo, la convicción personal y además justifica el gasto y los recursos que se emplean para poder alcanzar la meta.

Antes de su lucha con Goliat, David se imaginó mentalmente el resultado final: "Tú vienes a mí con espada y lanza, pero yo vengo a ti en el nombre de Jehová de los ejércitos del cielo y de Israel, el Dios verdadero, a quien tu has desafiado.

Hoy Jehová te vencerá y yo te mataré y te cortaré la cabeza y daré tu cadáver y el de tus compañeros a las aves de rapiña y a los animales salvajes. Así todo el mundo sabrá que hay Dios en Israel (1 Sam. 17:45-46).

El tener una imagen mental del resultado final antes de entrar en combate ayudó a David, tanto en el planeamiento de su ataque a Goliat, como a saber cuáles eran los pasos que era necesario dar a fin de llevar a cabo su proyecto.

David indicó también que conocía los motivos de su lucha con Goliat. "E Israel sabrá que Jehová no depende de las armas para realizar sus planes" (v.47). El comprender el objetivo de la batalla motivó a David a actuar. El formarse la idea mental del resultado contribuyó a forjar su plan de batalla y aunque David era el que llevaba a cabo los pasos del plan, se ve claramente que ponía su confianza en Dios con respecto al resultado.

Propóngase Objetivos que sean Factibles

El paso siguiente en el proceso de planeamiento es el de ponerse un objetivo que sea factible. Un objetivo factible nos dice con exactitud lo que se llevará a cabo, cómo se realizará y cuándo terminará. Es importante tener presente que un objetivo debe de ser factible para ser practicable.

Antes de emprender la reconstrucción de los muros de Jerusalén, el rey Artajerjes hizo a Nehemías dos preguntas importantes que requerían el idear un objetivo factible. "¿Cuánto tiempo estarás fuera? ¿Cuándo regresarás? (Neh.2:4). Estas preguntas contribuían a determinar cómo, cuándo y de qué forma habría de llevarse a cabo. En otras palabras, el objetivo era factible.

Sin tener unos objetivos predecibles una organización no puede evaluar los trabajos. Por ejemplo, si en su iglesia se dijese: "vamos a reunir más dinero para las misiones, éste sería un objetivo mal expresado porque no se puede evaluar de modo efectivo. El objetivo, en este caso, nos dice sencillamente lo que va a ocurrir (reunir más dinero para las misiones), pero no dice ni cuánto ni cuándo.

Para lograr que el objetivo sea predecible debe enunciarse como sigue: "este año (cuándo) reuniremos un 20% más (cuánto) para las misiones (qué) el año anterior." De ésta manera, la organización puede evaluar los progresos que se hacen para alcanzar la meta de la misión, ya que conoce el aumento que se espera en un período de tiempo determinado.

Esta manera de fijarse unos objetivos contribuye a que los dirigentes y administradores sean más precisos en su planeamiento. Hace que éste deje de ser un concepto impreciso y ayuda a que las personas determinen, de manera precisa, lo que ha de suceder en un tiempo determinado.

El Valor que Tiene Sopesar los Objetivos

Los objetivos que se estudian por adelantado, sopesándolos, hacen que la fe tenga sentido. Sin ellos las personas tienden a hablar y a planear de modo general, afirmando "confiar en Dios" para que El les guíe, pero ignoran hacia dónde van y no saben por adelantado cuándo llegarán. Por otro lado los objetivos estudiados están dirigidos con exactitud hacia los que creen en lo que Dios hará, hacia cuánto confían en la persona de Dios y hacia cuándo sucederá. Los objetivos predecibles hacen que la fe tenga un significado y una identidad.

Los objetivos predecibles ayudan a que las personas sepan por qué están orando. Durante un seminario administrativo, un hombre de negocios canadiense, Will Shavers, relató de qué modo los objetivos predecibles contribuían a que sus períodos de oración tuvieran un significado mayor y más profundo". Cuando no disponía de objetivos predecibles yo pedía: "Dios bendice mi negocio." Pero ahora que tengo estos objetivos sé con más exactitud qué y cuánto debo pedirle a Dios y cuándo puedo esperar los resultados."

Es difícil saber cuándo Dios ha respondido a la oración, "Dios bendice a mi negocio". Sin embargo, cuando nos fijamos unos objetivos realistas, nuestra oración va dirigida a lo que queremos que Dios nos haga, cuánto deseamos lograr y cuándo esperamos que se lleve a cabo.

Buenos Objetivos

El buen objetivo es aquel que puede hacerse realidad. Todo objetivo debe de ser posible. Cuando las personas se dan cuenta de que es imposible alcanzar la meta en un tiempo dado, se frustran, pierden el interés y disminuye su dedicación. Por consiguiente, cuando iniciemos objetivos factibles, hay que asegurarse siempre de que están dentro del ámbito de nuestras posibilidades.

Un buen objetivo es siempre realizable. Algunas veces, aun cuando un objetivo sea realizable, puede que no esté en el plano de lo realista. Por ejemplo, una organización puede idear un proyecto que podría llevarse a cabo si se ampliaran las instalaciones de la misma, pero si la ampliación de las instalaciones no es una opción factible, debido a los elevados costos de los intereses necesarios para llevar a cabo la ampliación, entonces se puede decir que el objetivo no es bueno. Por lo tanto, es importante asegurarse al mismo tiempo de que los objetivos son reales y realizables a fin de poder llevarlos a la práctica.

Un buen objetivo es siempre compatible con las otras metas de la organización. Cada objetivo en una organización deberá contribuir a los objetivos o causa final. Por ejemplo: si los objetivos de un departamento no contribuyen a los objetivos de la organización, no son compatibles, entran en conflicto por no contribuír a un objetivo común.

Un buen objetivo es siempre causa de motivación. Los buenos objetivos estimulan el interés y la dedicación. Los buenos objetivos son la chispa que estimula la acción. Si los objetivos no aumentan la motivación, los planes no tendrán éxito, ya que las personas son reacias a dedicarse a algo en lo cual no desean verse envueltas. Por consiguiente, al concebir objetivos hay que recordar que el motivar es una de las tareas más importantes para un planeamiento eficaz.

Descubra las Actividades Necesarias para Llevar a Cabo el Objetivo.

Como se indicó anteriormente en este capítulo, el objetivo debe responder a las preguntas de *por qué* el plan es importante y necesario. Los objetivos explican también qué es lo que se va a lograr y *cuándo;* y las actividades se concentran en la manera en que el plan se logrará.

La participación es la clave para la realización de buenas actividades. Las personas responsables de una actividad deben participar en su realización, porque por regla general saben más acerca de la manera cómo deben de llevarse a cabo. Por lo tanto, durante esta fase del proceso de planeamiento, el dirigente debe de asegurarse que todos los que están en el grupo, toman parte en las actividades requeridas para alcanzar los objetivos del equipo.

La participación da a las personas una sensación de "propiedad" en lo que a los planes se refiere. Así que a las personas a quien se pide llevar a cabo actividades, sin haber participado en su creación, carecen de la motivación y la dedicación necesarias para garantizar el éxito de los planes. Por otra parte, las personas que han participado en la creación de las actividades normalmente se sienten orgullosas de su trabajo.

Me dí cuenta de la importancia que tenía esta idea cuando nos trasladamos a Colorado Springs. Un encargado de una agencia de bienes y raíces nos acompañó a mi esposa y a mí a dar una vuelta por la ciudad para ver casas. Una tarde pasamos frente a un vecindario bien cuidado, con jardines bien atendidos y una serie de árboles y arbustos. Cada una de las casas parecía recién pintada.

No obstante, al seguir adelante llegamos a una casa en mal estado. Aun cuando la casa parecía como si la hubiesen construído al mismo tiempo que las demás, se había secado el césped y yacían por tierra las ramas arrancadas de los árboles. La puerta de alambre colgaba torcida sobre sus goznes y la pintura se desprendía de las paredes de la casa.

Mientras yo estudiaba el estado de abandono de la propiedad, el señor de la agencia de bienes y raíces me dijo: "usted puede comprar esa casa por $5,000 por debajo de su actual valor en el mercado."

Fruncí el entrecejo y pregunté: ¿Por qué dejan una casa tan bonita en ese estado de deterioro, hasta llegar a tener el aspecto actual."

Su sencilla respuesta fue: "Las personas que viven en esa casa la tienen en alquiler. Los dueños se fueron a California hace cuatro años.

Al reanudar la marcha, recordé que las personas cuidan menos las cosas que no son suyas, entonces se me ocurrió que lo mismo se puede decir de las organizaciones, si las personas no sienten que participan en los planes y las actividades de la organización, ya que con frecuencia actúan como los inquilinos de una casa, carecen de orgullo y no sienten obligación alguna.

Las personas adquieren un sentido de la pertenencia durante el proceso de planeamiento, al participar en la creación del objetivo u objetivos y de las actividades. Cuando sienten que participan, las personas trabajan con más ahinco y dedicación para alcanzar el objetivo y el éxito en los planes.

Debe estimular la innovación y el poder creador al planear las actividades. Este constituye un período excelente en el proceso de planeamiento para estimular la innovación y la creatividad. El dirigente o administrador debe pedirle a todos los que están bajo su supervisión que creen las actividades mejores para lograr el objetivo en la forma más productiva y efectiva posible.

La innovación y la creatividad evitan que las personas o sus planes se paralicen. Por lo tanto, cuando se están ideando actividades, se debe estimular a las personas para que traten de mejorar sus métodos y procedimientos tradicionales. Deben buscar maneras adecuadas y mejores para llevar a cabo incluso las actividades y labores rutinarias.

Jim Penrose, dueño de un pequeño negocio, decidió incluir a todos sus empleados en la creación de los planes necesarios para alcanzar los objetivos de la compañía. El describe lo que pasó cuando le pidió a sus empleados que presentaran innovaciones. "Al principio me asustó, creí que perdía el control porque las personas presentaban ideas nuevas y maneras nuevas de hacer las cosas. Sin embargo, pronto me dí cuenta que la gente conocía más que yo de cómo se debían hacer las cosas y aunque en un principio, me mostré renuente a dejarlos determinar cómo había que hacer algunos de los trabajos, en cuanto ví los resultados, me convencí de que sí tenían razón.

Algunos de los empleados me dijeron confidencialmente que habían pensado en buscar otros empleos hasta que Jim los interesó en el planeamiento. Uno de los empleados me dijo sonriendo: "Mr. Penrose no podría sacarme ahora de aquí ni a palos·"

Durante la 2a. Guerra Mundial, Soichiro Honda tenía un negocio en el Japón que fue destruído totalmente durante los bombardeos de los americanos. Después de la guerra volvió a empezar a fabricar motocicletas y luego automóviles. Su compañía se volvió una de las más grandes del Japón con aproximadamente 50,000 empleados.

Cuando se le preguntaba a qué debía su éxito, decía: "El planeamiento de la compañía se lleva a cabo por todos -incluso los que hacen el montaje de los automóviles." Honda transformó las ideas innovadoras de todos sus empleados en planes que tuvieron éxito y resultados productivos.

Ordene las Actividades en Serie

Una vez que las actividades han sido identificadas, el paso siguiente es el de ordenarlas en serie, asegurándose que cada actividad se lleva a cabo en el tiempo debido. La correcta verificación en el tiempo indebido, puede tener un efecto tan devastador como cuando se emplea la actividad que no corresponde.

Al identificar las actividades se describe la manera cómo va a llevarse a cabo el plan. Colocando las actividades en el orden debido podemos saber dónde le corresponde en el orden de los acontecimientos.

Determine los Recursos Necesarios para Lograr el Plan

El proceso de planeamiento no se hallará completo hasta que los recursos necesarios para su logro se hayan determinado.

Jesús dio a entender lo importante que era averiguar con qué recursos se cuenta y dónde podían conseguirse cuando se planeaba un proyecto o actividad. Hizo dos preguntas importantes que requerían un estudio minucioso de los recursos antes de contestarlas. "Supongamos que uno de ustedes desea construír una torre. A nadie se le ocurriría meterse a construír, sin calcular primero lo que le va a costar y ver si tiene suficiente dinero (Luc. 14:28). ¿Y a qué rey se le ocurriría ir a la guerra sin sentarse primero a calcular si con su ejército de 10,000 hombres podría hacer frente a los 20,000 que marchan contra él? (Luc. 14:31).

Es importante tener presente que el planear los recursos es un paso prioritario y de gran importancia en el proceso de planeamiento en general. Hay que hacer notar que, en el proceso de planeamiento, señalar los recursos necesarios es el paso a seguir después de colocar las actividades en su debido orden. La secuencia de dichas actividades tendrá su efecto sobre la clase de materiales que se necesitarán, así como el saber en qué momento habrá que necesitarlas.

Hay seis factores que es preciso tener en cuenta cuando se hace la distribución de los recursos para llevar a cabo el plan:

- Las personas
- El espacio
- El equipo
- Los materiales
- El tiempo
- El dinero

¿Considera usted a las personas como el recurso más valioso e importante para lograr el plan o proyecto? Como dijimos en el capítulo 2, las personas constituyen el recurso de mayor valor en una organización. Por lo tanto, deben ser consideradas en primer lugar cuando se toman en cuenta los recursos necesarios para llevar adelante el plan. Cuando se trata de determinar qué personas se necesitan, se debe responder a las preguntas siguientes:

¿Qué habilidades o dones son necesarios para realizar estas actividades?

¿Hay personas que poseen estas habilidades en la organización?

¿Hay personas interesadas en aprender las habilidades necesarias?

En caso de tener que buscar a las personas que posean estas habilidades fuera de la organización ¿cómo debemos de hacerlo?

¿Qué clase de edificio y cuánto espacio será necesario para realizar las actividades? El edificio y el terreno son importantes en la realización del plan. El cálculo del empleo del edificio y del terreno son pasos que con frecuencia no se toman en cuenta durante el planeamiento de los recursos. Lamentablemente es uno de los pasos del planeamiento, ya que toda actividad requiere el espacio y el edificio adecuados. En caso de no existir el espacio pueden fallar los mejores

planes que se hayan concebido.

¿Qué equipo se necesita y será fácil de obtener? Así como es importante el espacio y el edificio que se emplea, el equipo también lo es a la hora de llevar adelante el plan. Se observa con frecuencia que cada actividad requiere un equipo diferente. Por lo tanto, tiene importancia que las actividades sigan un orden para saber de antemano cuándo y durante cuánto tiempo se necesitará el material.

Los materiales. ¿Qué clase de materiales se necesitarán y en qué cantidad? La mayoría de los administradores están conscientes de la importancia que tienen los materiales para que un plan tenga éxito. La adquisición y distribución de los materiales requiere mucho tiempo.

¿Cuánto tiempo se necesitará para llevar a cabo la preparación de cada una de estas actividades? El tiempo necesario para preparar y llevar a cabo cada una de las actividades determinará el tiempo que se necesita para realizar todo el plan. El número de personas, el espacio, el equipo, y los materiales de que se dispone también influyen en gran manera en el tiempo que requiere cada actividad.

¿Cuánto dinero se necesita para llevar a cabo cada actividad en el orden requerido? El dinero que se necesita lo determinará la cantidad y la calidad de los recursos que se empleen, además de la cantidad de dinero disponible para lo que sea necesario comprar.

Satanás siempre trata de convencer al dirigente o al administrador cristiano de que no existen los recursos necesarios para realizar la obra. Las personas que planean los recursos deben de tener siempre en cuenta que si los planes están de acuerdo con la voluntad de Dios, ya sea para la persona o bien para la organización, El proveerá los recursos necesarios para llevar a cabo las actividades.

Resumen del Proceso de Planeamiento

Como ya hemos indicado, hay seis etapas en el proceso del planeamiento, a saber:

Requisitos Previos: Antes de comenzar un procedimiento deben de cumplirse los requisitos necesarios.

    a) Reconocer que Dios tiene un plan para usted y su organización.

    b) Reconocer que Dios es la fuente del poder para sacar

adelante todo su plan.

Primera etapa: Averigüe el objetivo del proyecto o actividad.

a) El objetivo indica por qué es importante el plan.

b) El objetivo convence y crea dedicación al plan

Segunda etapa: Trate de imaginar el plan terminado.

a) Visualice el plan terminado y sentirá confianza y fe en el proyecto y en su propósito.

b) También acelera el planeamiento.

Tercera etapa: Crea objetivos factibles.

a) Los objetivos nos indican lo que se logrará.

b) Los objetivos nos dicen cuánto y cuándo se logrará.

Cuarta etapa: Ponga en orden las actividades necesarias para alcanzar los objetivos.

a) Las actividades nos dicen cómo se lograrán los objetivos.

b) Esta fase del procedimiento debe dedicarse a la participación, innovación y poder creador.

Quinta etapa: Coloque las actividades en el orden adecuado. Esta etapa explica dónde corresponde cada actividad en el plan total.

Sexta etapa: Determine los recursos necesarios para lograr el plan.

a) Al considerar los recursos necesarios se deben de precisar: las personas, el espacio, el equipo, los materiales, el tiempo y el dinero.,

b) Los recursos necesarios dependerán de las actividades y del orden en que se lleven a cabo.

El Tablón: Una Excelente Herramienta

Ayuda a mostrar (véase la figura 8) las diversas partes del plan conforme va siendo formulado. Se empleó primeramente en la industria cinematográfica para colocar las escenas en el orden en que aparecen en una película. Hoy en día se utiliza en las cadenas hoteleras y en los restaurantes, en diversas entidades comerciales, educativas y en organizaciones internacionales cristianas.

El tablón sirve en los procedimientos de planeamiento de la siguiente manera:

- Contribuye al procedimiento de "las ideas geniales" o inspiraciones súbitas.

- Ayuda a mantener la atención sobre el tema que se está tratando.
- Ayuda a organizar las funciones y actividades según el orden que les corresponde.
- Estimula la innovación y el poder creador.

Pat Yanney, una de los jefes de la oficina de "Los Navegantes" me contó: "El empleo de los tablones ha aumentado grandemente nuestra producción durante las sesiones de planeamiento." Luego, continuó "el número de ideas creadoras de nuestro personal es mayor, los planes más detallados y más organizados y nuestros empleados se muestran más entusiasmados con el tremendo trabajo que requiere el planeamiento.,,

El planeamiento básicamente consiste en generar y organizar ideas. El tablón las estimula y genera al verlas escritas y a la vez permite colocarlas en cualquier secuencia deseada. Permite a las personas una mayor concentración sobre el tema tratado. Da también la imagen visual del plano, conforme sus diversos componentes surgen en el orden correspondiente. En otras palabras, relata la historia del plan.

Cómo se emplea en el proceso de planeamiento el tablón

Como lo indica la ilustración número 8, el tablón se parece a un tablón de anuncios. Se puede fabricar de corcho, de madera o de cualquier material que permita usar con facilidad alfileres. Puede ser de cualquier tamaño, cuanto más grande mejor. Muchas organizaciones cubren una pared entera con corcho o fibra-corcho, que es un material que sustituye al corcho (la Cía. Internacional de Especialidades de Denver, Colorado, USA, publica un catálogo para la compra de los materiales necesarios para fabricar uno).

El uso de las tarjetas. Se necesitan tarjetas de tres tamaños cuando se emplea el tablón. La más grande mide 8½x11" del tamaño de una hoja de papel de máquina de escribir. Se utiliza para poner el título del tema. La siguiente en tamaño mide 5; y se emplea para poner los encabezamientos o títulos de lo que se planea o discute. La tarjeta más pequeña mide 3x5" y se emplea para colocar subtítulos, conforme se va necesitando. (Figura 8).

El procedimiento de las ideas geniales o de las inspiraciones

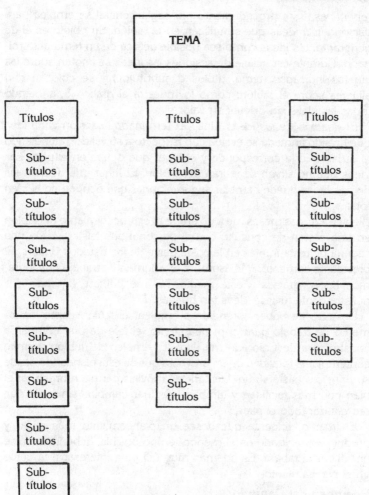

Diagrama 8: *Se asemeja a un boletín-pizarra. Permite colocar las tarjetas con alfileres que muestran el tema que se discute o planea. títulos de los encabezamientos y las diversas actividades tratadas en cada sesión.*

repentinas. Este procedimiento por regla general se emplea para dar origen a ideas que se utilicen en el tablón. Su objeto es el de generar tantas ideas como sea posible acerca de un tema determinado. Durante esta clase de sesiones las ideas se anotan sobre las tarjetas indicadas (tema, títulos o subtítulos) y se colocan con alfileres sobre el tablón, como lo muestra el gráfico 8, anotando todas las ideas sin discutir su valor.

Evaluación de las ideas. Una vez terminada la sesión cada idea que ha sido anotada se evalúa con respecto a su validez, atendiendo al orden que le corresponde y el lugar que ocupa en el plan. Las ideas que no sirven se retiran del tablón. El lugar que ocupan las demás ideas puede cambiar según el lugar que ocupen en el plan total.

Hace algunos meses me tocó emplear el procedimiento del tablón en una sesión de consulta con el personal administrativo de una cadena de restaurantes en la costa oeste de los Estados Unidos. El presidente comentó: "Me asombra el volumen de trabajo que logramos hacer, gracias a este medio. No me hubiese figurado que nuestra gente tuviese ideas tan buenas.

Después de haber aprendido a emplear el tablón como instrumento de trabajo para el planeamiento, el jefe de una compañía constructora de Colorado me dijo: "El empleo del tablón permite contemplar la totalidad de un proyecto que se está planeando desde su principio hasta su fin. Las tarjetas móviles permiten organizar el plan con más facilidad y también efectuar cambios sin tener que reorganizar todo el plan."

El líder o dirigente que desee un planeamiento más eficaz y productivo, realizado en el menor tiempo posible, debe interesarse en utilizar el tablón. Es además muy útil para interesar a la gente en el planeamiento.

Resumen del Capítulo

El planeamiento consiste en establecer el objetivo total de un proyecto, las actividades que se van a llevar a cabo y el orden en que se harán y los recursos necesarios paa realizarlas. Para el dirigente cristiano el planeamiento principia reconociendo que Dios tiene un plan para el individuo y que dará el poder necesario para llevarlo a cabo.

El planeamiento es un proceso arduo, lleno de frustraciones. Es un proceso mental mediante el cual las personas identifican los objetivos, crean las actividades necesarias para lograr los objetivos, determinan el orden en el cual las actividades se realizarán y por útlimo deciden qué recursos necesitan. El planeamiento siempre se refiere a un futuro, que muchas veces es totalmente impredecible.

Las personas a quienes afecte el plan deben de contribuír con su colaboración en la creación del mismo. Tal tablón es un procedimiento excelente para hacer que las personas se interesen en el planeamiento. Estimula la innovación, la participación y aumenta la efectividad de los planes conforme van siendo ideados.

Aplicación Personal

1. En su próximo planeamiento intente seguir el procedimiento de los seis pasos.

2. Experimente con el tablón, empleándolo como instrumento de planeamiento.

7
Tomando Decisiones— Creando y Resolviendo Problemas

El hacer planes y el tomar decisiones corren parejas. El proceso de planeamiento abarca las decisiones más importantes y de mayor alcance que un líder o dirigente puede tomar. De hecho, la totalidad del planeamiento comprende una serie de decisiones que están interrelacionadas. La calidad de los planes depende de lo apropiadas que resulten las decisiones que constituyen estos planes.

Todos los dirigentes tienen una cosa en común: el tomar constantemente decisiones que les afectan a ellos y a los demás. Las corporaciones comerciales gastan millones de dólares acumulando y analizando datos en un esfuerzo por tomar las decisiones más adecuadas. Sin embargo, el Edsel fabricado por la compañía Ford fue un ejemplo clásico que nos muestra que incluso las más importantes empresas pueden equivocarse al tomar una decisión.

La pregunta es entonces: ¿cómo se toman las decisiones correctas? La Biblia nos da la respuesta. "Donde hay un hombre que tema a Dios, Dios le enseñará a elegir lo mejor". (Salmos 25:12) Dios desea enseñarnos cómo llegar a la decisiòn correcta.

El Conocer la Voluntad de Dios Constituye la Base para Tomar Decisiones

El procedimiento·que emplea el dirigente cristiano es único por basarse en la convicción de que Dios tiene un plan determinado para él y que es posible conocer este plan. Por consiguiente, para tomar las decisiones correctas, el líder o dirigente cristiano, deberá saber reconocer la voluntad de Dios.

Muchos dirigentes cristianos y hombres de negocios se sienten confusos y frustrados con respecto a cuál es la voluntad divina para con ellos, sus compañías o negocios. En numerosas ocasiones he oído decir: "Con gusto haría la voluntad de Dios si sólo supiera cuál es".

Un dirigente cristiano y hombre de negocios frustrado recientemente me dijo: "Me siento como si Dios estuviese jugando al escondite conmigo, yo deseo hacer su voluntad pero El no me dice cuál es", moviendo la cabeza me dijo: "¿Cómo es posible que haga lo que Dios quiere si El no me lo comunica?"

El Procedimiento para Conocer la Voluntad de Dios

Dios no juega "al escondite" con nosotros con respecto a Su voluntad. La Biblia nos da un procedimiento sencillo para conocer la Voluntad de Dios, pero a menudo, no llegamos a conocerla porque no dedicamos suficiente tiempo al estudio de la Palabra de Dios.

El problema consiste en que la mayoría de nosotros, no escucha a Dios y por consiguiente no entendemos lo que nos dice. Muchas personas creen que Dios comunica Su voluntad por medios sobrenaturales o extraordinarios, como: Una voz de los cielos, una visión especial o un suceso como la partición del Mar Rojo.

Aunque Dios algunas veces se vale de un modo especial o espectacular para manifestarse, ésta no es su manera acostumbrada. Jesús aclaró este punto cuando hablaba a los escribas y fariseos que pedían una señal especial (Mateo 12: 38-39). "Sólo una nación perversa e infiel pediría más señales; pero no se les dará ninguna más excepto la señal del profeta Jonás".

Elías también se enteró de que Dios no necesita de medios sobrenaturales para comunicar Su voluntad. En 1 de Reyes 19: 11-12 leemos: "Sal y ponte delante de mi presencia en la montaña, le dijo Jehová. Elías se paró allí y Jehová pasó, y un fuerte viento azotó las montañas. Era tan terrible que las rocas se partían y saltaban, pero Jehová no estaba en el viento. Después del viento hubo un terremoto pero Jehová no estaba en el terremoto y después del terremoto hubo fuego, pero Jehová no estaba en el fuego.

Después del fuego oyó un susurro suave y apacible". Elías comprendió que Dios hablaba por medio de un susurro suave y no necesariamente por medios espectaculares.

El que quiera conocer la voluntad de Dios debe primero comprometerse a hacerla. Nunca he conocido a uno que no fuese cristiano que supiese exactamente la decisión que quiere Dios que tome. Dios no pierde el tiempo comunicándose con las personas que no están interesadas en hacerlo. Esto se ve claramente en Romanos 12: 1-2. "Por esto, hermanos, les ruego que se entreguen de cuerpo entero a Dios como sacrificio vivo y santo, este es el único sacrificio que El puede aceptar. Teniendo en cuenta lo que El ha hecho por nosotros, ¿será demasiado pedir? "No imiten la conducta ni las costumbres de este mundo, sean personas nuevas, diferentes, de nueva frescura en cuanto a conducta y pensamiento. Así aprenderán por experiencia la satisfacción que se disfruta al seguir al Señor". "Por consiguiente no se conformen con la imitación de este mundo, pero transfórmense por la renovación de sus mentes. Entonces podrán probar y aprobar cuál es la voluntad del Señor. Su voluntad, perfecta, agradable y bondadosa."

En este pasaje Pablo nos enseña que solamente encontramos la voluntad de Dios cuando nos hemos entregado a El. También nos dice que Su voluntad para nosotros es buena, agradable y perfecta en todo. A Pablo le fue dado tomar la decisión correcta y llevar a cabo grandes cosas porque cumplía con el requisito previo de conocer "la bondadosa, agradable y perfecta" voluntad de Dios. Y estaba totalmente entregado a hacerla.

Reconozca que Dios Tiene un Plan para Ud. y su Organización o Negocio. Este es el segundo paso en el proceso de conocer la voluntad de Dios. Por toda la Biblia, Dios enseña que El posee un plan determinado para su pueblo. En Jeremías 29;11 leemos: "Conozco los planes que para Uds. tengo, dice el Señor, son planes de bien y no de mal para darles un futuro y esperanza". "Yo te instruiré, y te guiaré por el camino mejor para tu vida. Yo te aconsejaré y observaré tu progreso" (Salmo 32:8) Si nos hemos entregado a Dios, El nos comunicará Su voluntad. La pregunta principal es ¿cómo nos dice lo que desea de nosotros?

Dios nos comunica Su voluntad dándonos el deseo de hacer lo que El quiere que se haga. "Porque Dios está en ustedes ayudándoles a desear obedecerlo y a poner en práctica esos deseos de hacer su voluntad". (Filipenses 2:13). Cuando leí este versículo por primera vez me pregunté ¿de qué manera pone Dios su voluntad en mí? Me dí cuenta de que si tenía la voluntad para hacerlo se manifestaría bajo la forma de un deseo. Al darme cuenta de ello me acordé de la promesa de Dios: "Deléitate con el Señor, así El te dará lo que tu corazón anhela". (Salmo 37:4). Este versículo nos dice que si estamos dispuestos a hacer su voluntad El nos dará lo que nuestro corazón desee. Es similar a lo que leímos en Filipenses 2:13. Por lo tanto, si verdaderamente estoy dispuesto a hacer la voluntad de Dios, debería empezar examinando los deseos de mi corazón.

Si nuestro deseo es conforme a la voluntad de Dios tendremos paz al llevarlo a cabo y recibiremos poder para conseguirlo. Muchas personas dicen: "No podemos confiar en que nuestros deseos procedan de Dios. Satanás nos tienta con malos deseos de modo que no es posible saber si vienen de Dios o del diablo". La Escritura nos dice, sin embargo: "Dios te concederá los deseos de tu corazón". Vemos que esta promesa lleva implícita la condición de entregarnos completamente a la voluntad de Dios, en cuyo caso él nos concederá los deseos de nuestro corazón, según dice en Filipenses 2:13. El los puso allí.

Observe también que si el deseo viene de Dios se asegurará de que se cumpla. En otras palabras, no solamente nos concederá el deseo, sino que nos dará el poder y los recursos necesarios para llevarlo a cabo. Esta será una manera para asegurarnos de si efectivamente ese deseo procede de Dios o no. Si tenemos el deseo, pero jamás obtenemos los medios o los recursos que necesitamos para realizarlo, podemos llegar a la conclusión de que no era de Dios, después de todo.

No obstante, es posible tener tanto el deseo como disponer de los recursos y que no sea la voluntad de Dios. Esto es lo que nos enseña la cita de Isaías (26:3). "El guardará en perfecta paz a cuantos confían en él, cuyos pensamientos buscan a menudo al Señor." Dios nos promete paz mientras cumplamos su voluntad. Por lo tanto si tenemos un deseo y los medios para llevarlo a cabo, pero estamos intranquilos acerca de la decisión, podríamos llegar a la conclusión de que no conviene llevarlo a cabo. Cualquier deseo que esté de acuerdo con la voluntad de Dios va acompañado de los recursos para conseguirlo y de la tranquilidad para seguir adelante.

Lista de Comprobación para Conocer la Voluntad de Dios

Hay cuatro preguntas que son de suma importancia para determinar la voluntad de Dios en una situación en la cual es preciso tomar unas decisiones.

- ¿Estoy yo dispuesto a hacer la voluntad de Dios en esta situación? (Romanos 12: 1-2)
- ¿Coincide con los deseos de mi corazón seguir este curso de acción? (Salmo 37:4)

¿Provee Dios el poder y los recursos necesarios para realizar tu deseo? (Filipenses 2:13)

¿Me da Dios paz para continuar trabajando en el proyecto y para tomar las decisiones necesarias para conseguirlo?

Si la respuesta a cualquiera de estas preguntas es negativa, podemos llegar a la conclusión de que no debemos de seguir por ese camino en esos momentos. Sin embargo, si la respuesta es positiva a todas las preguntas, podré llegar a la conclusión de que sí está de acuerdo con la voluntad de Dios y podré tomar mis decisiones conforme a ella.

Procedimiento de 5 Pasos Para Llegar a una Decisión de Acuerdo con la Biblia

Paso Uno. Diagnostique correctamente el problema o el asunto. Si el problema o el asunto no se diagnostica correctamente la decisión será equivocada, ya que se hizo partiendo de una base falsa. Este principio se ilustra en el relato de Moisés, enviando a los 12 espías.

Dios ya había aclarado que entregaba la tierra de Canaán al pueblo de Israel, (Véase Núm. 13: 1-28). El objetivo de los espías era el averiguar la clase de personas, de ciudades, de tierra y de producción de la misma en la nueva patria (v. 17:20).

Sin embargo, la mayoría de los espías diagnosticaron equivocadamente la situación. Espiaron el terreno para ver si les sería posible conquistar a sus habitantes, pero no se trataba de eso, ya que Dios les había dicho que les entregaría la tierra al pueblo de Israel. Como resultado de la mala interpretación de los espías, llegaron a la conclusión de que no podrían tomar posesión de la tierra debido al poder y al tamaño de la ciudad amurallada, donde vivía el pueblo. Por haber interpretado incorrectamente el asunto la mayoría de los espías llegaron a la conclusión equivocada.

Recientemente, al charlar sobre la toma de decisiones en un seminario sobre administración, un hombre de negocios me comentó indignado: "Me estoy recuperando de un error por el estilo. Por no haber aclarado un problema a mi arquitecto nos equivocamos en la construcción de un centro comercial que estábamos preparando" y añadió: "Y cada equivocación nos costó varios miles de dólares".

Tanto el pueblo de Israel como el comerciante del seminario aprendieron que cuando una persona no expone correctamente sus objetivos, las decisiones que se toman son equivocadas y resultarán costosas.

Paso Dos. Reúna y analice los datos. Toda empresa se lleva a cabo con unos planes sabios y se fortalece gracias al sentido común y además se beneficia enormemente si se mantiene al día. (Prov. 24: 3-4).

Como sugiere la Palabra de Dios, el reunir y analizar los datos constituye un acto importante en el momento de tomar una decisión (Prov. 18: 13). Estos Proverbios enfatizan aún más: "¡Qué vergüenza, qué estupidez, es decidir antes de conocer los hechos!"

Cuando se reúnen y estudian los hechos es cuando podemos responder a las siguientes preguntas:

- *¿Qué dice la Biblia al respecto?* Es de mucho valor y provecho conocer y aplicar la Palabra de Dios. "Que no se aparte nunca de tu boca este libro de la Ley, medita en él de día y de noche y obedécelo al pie de la letra. Solamente así lograrás alcanzar el éxito. (Josué 1: 8).
- *¿Qué me dice Dios cuando oro?* Pregúntame y yo te revelaré algunos notables secretos acerca de lo que habrá de ocurrir aquí" (Jer. 33: 3).
- *¿Estoy dispuesto a hacer la voluntad de Dios en esta situación?*

Al principio del capítulo vimos que debemos de estar dispuestos a hacer la voluntad de Dios, si queremos conocer cuál sea. (Véase Romanos 12: 1,2).

- *¿Cuáles son mis intereses y deseos en esta situación?* "Deléitate asimismo en Jehová y él te concederá las peticiones de tu corazón" (Salmo 37: 4).

- *¿Qué me aconseja la gente en esta situación? "Donde no hay dirección sabia, caerá el pueblo; en la multitud de consejeros hay seguridad". (Prov. 11-14)*

- *¿Qué nos indican las condiciones y las circunstancias en esta situación?* Como ya leímos anteriormente: "toda empresa tiene por fundamento planes sensatos y se fortalece gracias al sentido común, prosperando cuando se mantiene al día en todo". (Prov. 24: 34).

Antes de pensar en las posibles alternativas, el dirigente cristiano o el administrador, o el hombre de negocios, deberá responder a estas 6 preguntas, que son de suma importancia, según hemos visto. Estas preguntas contribuyen a reunir la información necesaria para llegar a una decisión correcta.

Paso Tres: Trate de pensar en posibles alternativas. Una vez reunidos y estudiados los datos, el paso siguiente es el de pensar en una alternativa.

Las decisiones importantes no deben tomarse antes de haber pensado en varias alternativas. Si no disponemos de alternativas, el administrador o el dirigente tendrá que escoger la primera solución posible, aunque es posible que esta elección no resulte la mejor.

El disponer de alternativas obliga al dirigente a evaluar todos los datos y hechos y a tomarse el tiempo necesario para pensar en todas las alternativas. También le ayuda a evitar la tensión de resolver todos los problemas rápidamente. Para muchos de los dirigentes ésta constituye una de sus debilidades a la hora de tomar una decisión. "Hay peligro y pecado al lanzarse apresuradamente a lo desconocido." (Prov. 19:2). Este versículo se aplica, sin duda, a tomar decisiones. La persona que se apresura a tomar la primera alternativa con frecuencia equivoca el camino. Cuanto más alternativas tenga el dirigente mayores serán las posibilidades de tomar una decisión correcta.

Paso Cuatro. Evalúe las alternativas, con sus pros y sus contras. Una vez creadas las alternativas, deberán ser evaluadas, teniendo en cuenta sus debilidades y sus puntos fuertes, con sus pros y sus contras. Este paso elimina de hecho algunas de las alternativas o se convierte en un proceso de eliminación. (Luc. 14: 31, 32). He aquí un ejemplo típico de la Biblia sobre las enseñanzas de Jesús. "Y ¿a qué rey se le ocurrirá ir a la guerra sin sentarse primero a calcular si con su ejército de 10,000 hombres podrá hacer frente a los 20,000 que marchan contra él? Si ve que no puede, mientras el enemigo está todavía lejos, enviará a una delegación para que negocie las condiciones de paz".

Este pasaje nos señala la importancia que tiene el calcular las alternativas en términos de su impacto positivo o negativo. Una evaluación negativa equivale a *no actuar.* Por otra parte una evaluación positiva equivale a que *existe* la posibilidad de llevarla a cabo.

Paso 5. Escoja entre las alternativas positivas. Este sería lógicamente el siguiente paso a tomar, pero normalmente es el más difícil. Muchos dirigentes y administradores postergan o dejan "para mañana" el tomar una decisión por no estar seguros si verdaderamente han hecho la mejor elección. Un ejecutivo cristiano me dijo: "Cuando se trata de decidir me siento tentado a no decidir".

Cuando el dirigente cristiano tenga que escoger, entre varias alternativas deberá tener en mente la promesa divina. "Yo te instruiré dice el Señor, y te guiaré por el camino mejor para tu vida. Yo te aconsejaré y observaré tu progreso". Deberá también tomar en cuenta a Isaías 26: 3: "El guardará en perfecta paz a cuantos confían en El y cuyos pensamientos buscan a menudo al Señor, porque El confía en tí."

Comprensión del Ambiente en el Cual se Toman las Decisiones

Existe un cierto ambiente que rodea al proceso de tomar decisiones. Cada dirigente debe de ser consciente de los elementos de dicho ambiente y comprender su impacto sobre la toma de decisiones. Los elementos que influyen en el ambiente de la toma de decisiones son:

- Necesidad de acción
- Condiciones que empeoran por retrasar la acción
- Datos insuficientes
- El elemento del riesgo
- Las recompensas que acompañan al éxito
- Las consecuencias del fracaso
- La existencia de más de una solución factible.

Hay que tomar acción. Las decisiones son el resultado de tener que realizar una evaluación. Cuando el dirigente o administrador se encuentra frente a la necesidad de tomar una decisión deberá preguntarse a sí mismo: ¿Hay necesidad de actuar? Si la respuesta es afirmativa, entonces es preciso decidir. Por otro lado, si la respuesta es negativa, la decisión podrá ser prematura.

Condiciones que empeoran por el retraso de la acción. Si no se actúa cuando la acción es necesaria, las condiciones empeoran. Cuando empeoran ejercen una mayor presión sobre el dirigente para que tenga que decidirse. Conforme va en aumento la tensión las posibilidades de llegar a una decisión correcta disminuyen. Por lo tanto, para tomar buenas decisiones y evitar que las cosas no empeoren, las condiciones se deben de decidir en el momento en que la decisión es necesaria.

Datos insuficientes. En toda situación en la que hay que tomar una decisión, es casi siempre cierto, que nos hacen falta datos y mayor información. Sin embargo, no se tienen siempre a mano todos los datos deseables cuando se decide y, como resultado de ello, muchos dirigentes y administradores, se sienten reacios a decidir por escasez de datos, no importándoles cuánta información tienen a mano.

Por lo tanto, el obtener toda la información posible debe de equilibrarse en el proceso de la toma de decisiones. La excusa de "datos insuficientes" constituye una verdadera trampa que hace que el dirigente incauto posponga la acción, lo que a la vez hace que empeore la situación y a la larga puede hacer que las decisiones resulten inapropiadas.

El elemento del riesgo. El dirigente carece de medios para conocer el resultado de su decisión. Esto significa que toda decisión lleva consigo un elemento de riesgo. Algunos dirigentes se sienten reacios a correr riesgos y por consiguiente encuentran problemas a la hora de decidir.

El que sabe tomar las decisiones oportunas aprende a calcular los riesgos implicados en todas sus decisiones.

Cuando se evalúan las alternativas, el dirigente deberá tomar en cuenta los riesgos que cada una de sus decisiones acarrea. No obstante, no deberá tratar de eliminar todos estos riesgos. La mejor decisión no corresponde necesariamente con la de menos riesgos. Por regla general, los riesgos disminuyen conforme los datos y la información aumenta.

Las consecuencias del fracaso. Cuanto mayores son las consecuencias del fracaso, mayor será la sensación de riesgo. A nadie le gusta fracasar y el fracaso inhibe en gran parte el proceso de decisión. Por lo tanto, el dirigente no deberá obsesionarse con las consecuencias del fracaso en los momentos en que necesita tomar una decisión. Deberá aceptar el hecho de que siempre existe la posibilidad de fracasar, pero no debe considerarlo como una probabilidad segura cuando se trate de decidir.

Las recompensas que acompañan al éxito. Todo dirigente, administrador u hombre de negocios, sabe que su éxito depende de su habilidad a la hora de tomar las decisiones oportunas, así como también el hecho de que el tomar una decisión equivocada puede tener graves consecuencias. Hay también grandes recompensas para el que decide correctamente. El éxito no llega automáticamente. Llega como resultado de haber tomado la decisión correcta en el momento adecuado. Por consiguiente, en cada situación en que es preciso tomar una decisión la posibilidad de éxito es la fuerza motora que mueve a que se tome la decisión.

La existencia de más de una decisión factible. En la mayor parte de los casos, existe más de una alternativa posible. Muchos dirigentes se calientan la cabeza al decidir, porque creen que están obligados a tomar la decisión correcta. En realidad, una mala decisión bien llevada a cabo con frecuencia da mejores resultados que una buena decisión mal aplicada. Por lo tanto, el líder deberá enfatizar el llevarla a cabo tanto como el seleccionar las alternativas.

Distinciones Importantes

El tomar decisiones puede definirse como el escoger entre varias alternativas, mientras que el resolver problemas consiste en formular e implementar un plan para eliminar una dificultad. La solución de problemas implica siempre el tomar decisiones. Sin embargo, el limitarse a tomar una decisión no implica necesariamente la solución del problema.

El comparar la solución de problemas con el tomar decisiones es una suposición falsa que escuchamos con frecuencia. he sabido de administradores que después de tomar una decisión dicen: "Bueno, eso resuelve el problema".

Mi respuesta es: "Puede que usted haya tomado una decisión, pero eso no significa que el problema esté resuelto". El decidir es un proceso mental, la solución de problemas implica el llevarlos a cabo y cumplir con las decisiones de manera que se elimine la dificultad.

También es importante comprender la diferencia que existe entre los problemas y las condiciones. Un problema puede solucionarse en un corto período de tiempo. Por otra parte, una condición es una circunstancia generalmente incontrolable y que se añade a la situación desde el exterior. Por regla general, se necesita bastante tiempo para que una condición cambie visiblemente.

Suponiendo que las decisiones son problemas que crean frustraciones, confusión y desmoralización, conviene tomarlas muy en cuenta para no desesperar. Recientemente, consultando con una agencia federal, me informaron que el Congreso había impuesto la congelación de empleo. Encima de esto se le exigía a la agencia que duplicara su productividad, a pesar de no poder aumentar el número de empleados.

El Jefe de Proyectos de la agencia me comentó: "Nuestro problema consiste en que no tenemos suficientes empleados para hacer frente al aumento de trabajo."

"Ese no es el problema" le dije. "Es sencillamente una condición". Me miró perplejo y yo le expliqué que ya que el Congreso le había impuesto esta situación a la agencia y el asunto no estaba bajo su control, era una condición a la que su personal y él tendrían que adaptarse por el momento. Le expliqué además que la condición creaba, al mismo tiempo, una serie de problemas que se podrían resolver. Sin embargo, era una pérdida de tiempo luchar en contra de una condición, ya que ésta no cambiaría hasta que el Congreso levantara la congelación acerca de la contratación de nuevos empleados.

Cuando las personas confunden una condición con un problema, se encuentran con una situación incontrolable. Como resultado, se sienten frustradas, confusas y decepcionadas, ya que no obtienen los resultados apetecidos por el tiempo y el esfuerzo que invirtieron. En vez de golpearse la cabeza contra un obstáculo inconmovible, el dirigente deberá reconocer los problemas que la situación ha creado y esforzarse por solucionarlos. Como dijimos anteriormente, los problemas pueden resolverse de manera bastante rápida, pero no las condiciones, porque son impuestas desde afuera, no están bajo el control del dirigente y por regla general tardan en cambiar.

El Proceso de Resolver Problemas

La solución de problemas y la toma de decisiones corren parejas. La solución de los problemas ha sido utilizada con éxito por líderes y hombres de negocios en una gran variedad de organizaciones y situaciones.

- Primero es preciso determinar si la situación es un problema o es una condición.
- Defina el problema con claridad.
- Compruebe lo que se obtendrá o se perderá solucionando dicho problema.
- Piense en otros métodos que se puedan alternar lo mismo que en otras soluciones.
- Indique el costo de cada una de estas alternativas.
- Escoja entre las alternativas.
- Delegue la acción y comience a implementarla.
- Evalúe los progresos conseguidos.

Determine si se trata de un problema o de una condición. Si se trata de una condición reconozca los problemas creados por la condición y continúe con el procedimiento a fin de resolver los problemas, sin intentar cambiar la condición de inmediato.

Defina el problema con claridad. Muchos problemas nunca se solucionan por no haber quedado claramente definidos. La persona que puede diagnosticar correctamente el problema está a punto de resolverlo. Las falsas suposiciones llevan a conclusiones falsas y éstas, a su vez, crean mayores problemas. Por lo tanto, el dirigente debe escuchar las opiniones de los demás para asegurarse que el problema ha sido debidamente averiguado. Esto, tiene especial importancia cuando el dirigente se siente emocionalmente involucrado en el problema. Por lo tanto, cuanto más emocionalmente implicado se sienta el dirigente, mayor será su necesidad de pedir ayuda a otros para averiguar en qué consiste el verdadero problema.

Considere lo que ganará o perderá solucionando el problema. Este es un paso impoprtante en el proceso de la solución de problemas. Por ejemplo, ¿mejorará el ambiente de trabajo si se logra resolver el problema? ¿Producirá un aumento de la producción? ¿Elevará la moral de los empleados? ¿O es posible que el resolver el problema cree uno mayor?

Encuentre métodos y soluciones alternas. Así como, por regla general, hay más de una decisión posible, también habrá más de una manera de resolver el problema. Este es un paso decisivo en la solución del problema y necesita conseguir el mayor número posible de datos. Generalmente es importante que los afectados por el problema participen en el proceso para llegar a la solución del mismo. Además cualquier persona o grupo de personas que posean conocimientos especiales o sean expertos en el problema y en sus posible soluciones deben ser consultadas en esta fase (Prov. 11: 14). "Sin dirigentes sabios la nación está en problemas pero con buenos consejeros hay seguridad." Este principio se aplica tanto a las decisiones comerciales como a la política de una nación.

Indique el costo de cada alternativa. Cada una de las alternativas tiene su propio precio que es especial, aunque no necesariamente en dólares y centavos. Tenemos que considerar los costos: en cuanto a tiempo, energía, actitudes y opinión pública. El factor costo desempeña un papel importante a la hora de decidir la alternativa que se debe seguir.

Escoja entre las alternativas. Al llegar a esta etapa de la resolución de los problemas, con frecuencia es preciso llegar a un arreglo. La solución más eficaz no siempre es la mejor cuando se toman en cuenta los factores de costos. La solución de problemas con frecuencia requiere el saber hacer concesiones mutuas.

Lo que uno puede considerar una solución, puede no serlo para otro. Por lo tanto el dirigente deberá considerar los puntos siguientes:

- ¿Va en contra de los principios o verdades bíblicas esta solución?
- ¿Cubre esta solución las necesidades de aquellos a los que afecta?

¿Gozará del apoyo popular el llevar a cabo esta solución?

- ¿Creará esta solución aún mayores problemas?
- ¿Evitará esta solución problemas en el futuro?
- ¿Por qué se debe escoger esta solución entre todas las demás?

Delegue la acción y comience a ponerla en práctica. La solución del problema requiere cambios. Por lo tanto, el problema no desaparece al tomar una decisión, sino haciendo los cambios necesarios.

Evaluación de los progresos realizados. Al comenzar el proceso es preciso supervisar y evaluar cada paso para determinar si está contribuyendo en algo a la solución de los problemas. Con frecuencia ocurre que una solución que nos ha parecido buena por escrito, no produce los resultados apetecidos cuando se pone en práctica. Cuando así sucede, es necesario hacer correcciones y buscar alternativas, para implementarlas y evaluarlas hasta que se elimine el problema y se obtengan los resultados deseados.

De acuerdo a numerosos estudios, llevados a cabo por "Managemente Training Systems" (o sea Sistemas de Adiestramiento para Administradores) aproximadamente el 95% del tiempo de trabajo de un ejecutivo se lo pasa resolviendo problemas. Un alto ejecutivo de una organización cristiana internacional me decía hace poco: "Me da la impresión de que me paso la mayor parte del tiempo resolviendo los problemas que otras personas no han sido capaces de resolver. Debo admitir que me harto y si no fuese por lo estimulante de la misión de nuestra organización habría dejado el empleo hace mucho."

La labor del dirigente cristiano es la de suplir las necesidades de trabajo de los que se encuentran bajo sus órdenes. Esto lo puede hacer ayudándoles a resolver sus problemas. Esto es lo que hizo Moisés. "Los casos más difíciles los referían a Moisés, pero ellos juzgaban todos los casos menores" (Ex. 18: 26). Moisés se convirtió en el que resolvía los problemas en los casos difíciles. Su papel era el de servir a los demás en esta capacidad.

El dirigente o administrador cristiano competente se dedica a ayudar a los que están trabajando a sus órdenes, que no pueden resolver sus problemas solos. Por lo tanto, el dirigente deberá adquirir habilidad para dirigir y resolver problemas.

Resumen del Capítulo

El decidir y resolver problemas son dos actividades que corren parejas. La habilidad para tomar las decisiones oportunas y resolver los problemas de modo efectivo son algunas de las dotes de mayor importancia que puede adquirir un dirigente.

Para un dirigente cristiano, el conocer la voluntad de Dios constituye la base para decidir o resolver los problemas. Dios posee un plan para cada persona y desea convertirlo en una realidad. A fín de conocer el plan de Dios, debemos antes estar dispuestos a poner la voluntad de Dios por encima de la nuestra. Dios no solamente promete revelarnos su plan, sino darnos también los recursos y el poder necesarios para ponerlo en práctica.

La Biblia nos ofrece orientaciones para decidir y resolver problemas. Debemos recordar que aunque el plan de Dios para nosotros es "bueno, agradable y perfecto" eso no nos libra de encontrarnos con problemas a la hora de llevar el plan a la práctica. Las pruebas y los problemas se nos presentan en nuestras vidas para contribuir a que maduremos y nos perfeccionemos. "Amados hermanos ¿están afrontando muchas dificultades y tentaciones? ¡Alégrense porque la paciencia crece mejor cuando el camino es escabroso! ¡Déjenla crecer! No huyan de los problemas, porque cuando la paciencia alcanza su máximo desarrollo uno queda firme de carácter, perfecto, cabal, capaz de afrontar cualquier circunstancia" (San. 1: 2-4). Por lo tanto, no debemos de adoptar una actitud negativa frente a los problemas, sino considerarlos como portunidades para el crecimiento personal.

Aplicaciones Personales

1: Identifique los asuntos o las decisiones con las que se enfrenta en la actualidad.

2. Repase el proceso para conocer la voluntd de Dios y asegúrese que está dispuesto a hacer su voluntad en cada una de esas situaciones.

3. Aplique el proceso de la toma de decisiones y la resolución de los problemas a los asuntos más importantes de su lista. Repita el proceso hasta que haya tratado cada uno de los asuntos que están en su lista.

Capítulo 8
Comunicaciones
Eficaces

Conforme nuestra sociedad impulsada por cohetes y por los jets se lanza al encuentro del siglo XXI, teniendo a su alcance los medios de comunicación más sofisticados que el hombre jamás conoció, haciendo la tecnología electrónica actual posible que un hombre en la luna hable con personas en la tierra y la ciencia de las computadoras hace posible también que los hombres hablen con ellas, almacenando y reproduciendo información en cuestión de segundos, que hace pocos años tardaba días y hasta meses en procesarse.

Pero a pesar de que el hombre ha logrado inventar esta sofisticada maquinaria electrónica, para ayudarle a comunicarse, sigue teniendo problemas en la comunicción con otras personas. De hecho, en unos estudios recientes, llevados a cabo por "Management Training Systems" en numerosas organizaciones, tanto cristianas como seculares, se llegó a la conclusión de que las comunicaciones deficientes constituían el problema número uno para líderes y administradores.

Definición de la Comunicación

¿Qué es la comunicación? La mayor parte de las personas admiten tener problemas, de vez en cuando, por falta de "comunicación", pero muy pocos se esfuerzan por definir lo que entienden por comunicación. Se puede definir como el proceso mediante el cual transmitimos comprensión de una persona o grupo a otros. A menos que exista entendimiento no hay comunicación posible. Por lo tanto, cuando una persona se queja de falta de comunicación de lo que realmente se está quejando es de falta de comprensión y no de conversación, de discusiones, de memorandums o correspondencia. Con harta frecuencia confundimos los medios de comunicación con la comunicación misma. El haber hecho un esfuerzo por comunicarse con alguien no nos garantiza automáticamente la comprensión en nuestro mensaje. El hablar no significa que nos comprendan y la correspondencia escrita tampoco garantiza que la persona entenderá el mensaje.

Hace poco tuve una cita con el presidente de un seminario y con uno de sus administradores, para charlar acerca de las necesidades directivas y de adiestramiento de los estudiantes y alumnos. La cita era para las dos de la tarde y a las dos y cuarto el administrador no se había presentado. El presidente dijo: "No me lo explico, ayer le envié una nota sobre esta cita".

Más tarde encontramos al administrador en el salón del seminario y nos explicó que hacía dos días que no revisaba la correspondencia de su oficina. El presidente creyó haberse comunicado con el administrador por haberle enviado un memorándum. Lamentablemente, muchas veces damos por hecho que los medios de comunicación han logrado la comprensión.

Jesús sabía la importancia que tenía la comunicación exacta y se esforzaba para que sus discípulos le entendiesen. Después de explicarles varias parábolas, Jesús preguntó: "¿Entienden ahora?" (Mat. 13:51). Jesús sabía que a menos que hubiese comprensión, no habría comunicación, por mucho que les predicase ni que les hiciese discursos.

La Importancia que Tiene la Comunicación

La construcción de la torre de Babel (Gen. 11: 19) nos ilustra de manera clara el papel primordial de la comunicación en los logros tanto individuales como de una organización. "Ahora el mundo entero posee un idioma y un lenguaje común" (v. 1) Tenían los ingredientes para tener una buena comunicación al organizarse para construir una ciudad con una torre que alcanzase a los cielos" (v.4).

Dios descendió para observar a la gente y su proyecto y dijo: "Si como una gente que habla el mismo idioma han comenzado a hacer esto, entonces nada de lo que planeen hacer les será imposible" (v.6). Dios reconoció que al haber logrado un sistema de comunicación efectivo, se habían unido tras una meta común y esto les había animado a actuar.

La buena comunicación es esencial para crear la unidad y la motivación; es la base de la innovación ilimitada de grupo, así como la creatividad y el éxito.

Dios demostró la importancia que tiene la comunicación al decir: "Vamos y confundamos su idioma de manera que no puedan entenderse". (7) Obsérvese aquí que las comunicaciones son la base para crear el entendimiento.

Dios también sabía que para destruir la productividad y acabar con el proyecto era necesario desbaratar las comunicaciones. Una vez logrado, la unidad y la motivación del proyecto se destruyeron y éste se detuvo. (v.8)

Este pasaje ilustra con mucha claridd el papel tan importante que tiene la comunicación para cualquier empresa de una organización. La comunicación es la clave para la creación y la motivación en el trabajo. También permite la expresión de muchas fuerzas creadoras o innovadoras. Sin embargo, cuando se interrumpe, todas esas fuerzas que creó: la comprensión, la unidad y la dedicación, la motivación y la creatividad de grupo desaparecen y el proyecto fracasa.

Todos estamos conscientes del formidable logro de llevar a un ser humano a la luna. El proyecto Mercurio, organizado el 5 de octubre de 1958, fue planeado para colocar al primer norteamericano en el espacio. Esto se consiguió treinta meses después, el 5 de mayo de 1961. Ocho años más tarde, el 16 de julio de 1969, logramos colocar al primer hombre en la luna. Este suceso señaló la consecución más grande de la tecnología moderna hasta la fecha.

Un ingeniero espacial que contribuyó en el proyecto del alunizaje, me dijo: "La mayoría de las personas no se dan cuenta de la magnitud de esta empresa. Había millones de personas trabajando al mismo tiempo en miles de proyectos, literalmente por todo el mundo, mientras duró el proyecto en el año 1960.

Sabíamos que las buenas comunicaciones eran la base para alcanzar la meta. Por esta razón diseñamos el sistema más sencillo de comunicación posible y ésta fue la clave de nuestro éxito.

Dios nos revela, y la ciencia nos confirma, que las comunicaciones desempeñan uno de ios papeles más vitales en los éxitos de una organización. Por lo tanto es imperativo que el dirigente, líder u hombre de negocios cristiano, adquiera una preparación eficiente en las comunicaciones.

El Proceso de Comunicación

La definición de comunicación nos muestra que existe un proceso para lograr la comprensión. Por consiguiente el enterarse del procedimiento y ver cómo cada uno de sus pasos se encuentra interrelacionado con uno de los requisitos indispensables para mejorar las comunicaciones.

Seis son los pasos que integran el proceso de la comunicación. Los primeros tres de ellos los da el que envía el mensaje y los últimos tres la persona que lo recibe. El transmisor debe:

- Tener un concepto claro de la idea o pensamiento que desea transmitir.
- Escoger las palabras y acciones adecuadas para transmitir la idea y -o- el sentimiento.

  Darse cuenta del medio ambiente que le rodea, que da origen a limitaciones o barreras y esforzarse por reducirlas.

Además de reducir al mínimo las barreras el que lo recibe debe:

- Enterarse de la información escuchando las palabras y viendo las acciones.
- Interpretar las palabras y las acciones.
- Crear ideas y sentimientos apropiados.

Paso Uno: Tener un concepto claro de la idea o pensamiento que se transmite. Cuando usted trata de comunicar sus ideas a otra persona usted ha dicho: "No sé cómo decirlo, pero..." y tal vez ha tratado de expresarse a continuación. Esas palabras son una demostración de que no tiene un concepto claro de lo que quiere decir, y si es así no puede esperar que la otra persona le comprenda. Por lo tanto, por un sentido de responsabilidad hacia usted y hacia los demás es preciso que sus ideas y sentimientos se definan con claridad antes de intentar transmitirlas a los demás.

Paso Dos. Escoja las palabras y las acciones precisas para trans-mitir las ideas y sentimientos. No existe entendimiento entre dos personas a menos que las ideas o sensaciones se transmitan. Aunque a todos nosotros a veces nos cuesta trabajo decir lo que pensamos o sentimos, debemos tener presente que el no expresar las ideas y los sentimientos es una de las causas principales de los malentendidos.

Mientras daba un ciclo de conferencias para directivos en un hospital, una de las jefas de enfermeras me preguntó: "¿Se da usted cuenta de los problemas que ha creado?" Por mi expresión se dio cuenta que yo no tenía ni idea de a qué problemas se refería. "Tal vez no debería ser yo la que se lo dijese, pero Marta, una de las nuevas supervisoras de noche, cree que usted quiere que la despidan."

Ella explicó que Marta pensaba que yo estaba usando algunos de sus errores personales como ejemplo de mala supervisión y había llegado a la conclusión de que mi propósito era el de desacre-ditarla y hacer que fuese despedida.

Agradecí a la jefa de enfermeras su explicación y al terminar la clase fui a la oficina de Marta para aclarar el malentendido. Le expliqué que desconocía sus experiencias personales como supervi-sora, que no la había escogido como ejemplo, y que no tenía ningún motivo para querer que la despidiesen. El problema se aclaró en pocos minutos.

Sin embargo, le expliqué a Marta que ella debería haberme con-tado a mí sus temores y sentimiento y que no habríamos podido resolver el problema si no me hubiese enterado por otra persona.

Las personas se muestran reacias a expresar lo que sienten o piensan, pues casi siempre predomina el temor a ser rechazadas. Sus ideas y pensamientos hablan por la persona. Si tú le cuentas a alguien cómo te sientes y piensas y esa persona te rechaza por tus ideas, es como si te rechazase a ti.

En un esfuerzo por evitar el rechazo, la mayoría nos guardamos de expresar nuestros verdaderos sentimientos e ideas, manifestando solamente lo que nos parece aceptable. Como resultado, nos que-jamos de problemas de comunicación, sin darnos cuenta de que el no expresar nuestras ideas y pensamientos es lo que produce la falta de comprensión en primer lugar.

Un día que fui de compras con mi esposa Lorraine, ella vio un vestido en una vitrina. "¿Te gusta?" me preguntó.

A mí no me gustaba, en realidad, pero creyendo que a ella sí y deseando no herir sus sentimientos le dije que sí. Más adelante ella fue y compró el vestido.

No hace mucho le confesé que no me había gustado el vestido. "¿No te gusta?" me dijo, "pues a mí tampoco. La única razón por la que lo compré fue porque dijiste que a tí te gustaba."

El no expresar con sinceridad lo que pensamos o sentimos provocó el malentendido, añadiendo un vestido más, que en realidad no deseaba, al guardarropa de mi esposa.

Las ideas y los sentimientos se comunican por medio de palabras y acciones y se ha dicho acertadamente: "Las palabras no tienen significado, las personas son las que dan significado a las palabras." Por lo tanto, debemos asegurarnos de que las palabras y las acciones empleadas tengan el mismo significado para la persona que recibe el mensaje que para nosotros.

Paso Tres: Darse cuenta de las barreras y limitaciones en la comunicación y esforzarse por disminuírlas. La comunicación es para una organización lo que la sangre es para el cuerpo humano. Cuando la sangre no llega a la mano, se gangrena y la persona pierde el uso de la misma. Si se descuida la gangrena se extiende por todo el organismo, con su veneno y produce la muerte.

Las comunicaciones son el alma de una organización, transmitiendo las ideas, los sentimientos y las acciones, los planes y las decisiones en actos productivos. Sin embargo, si surgen obstáculos o barreras que impidan el fluir de las comunicaciones a algunas partes de la organización, éstas se convierten en ineficaces y torpes. A menos que se retire el obstáculo en la comunicación, múltiples infecciones altamente contagiosas surgirán en la organización tales como: la desmoralización, los conflictos de la personalidad, las actitudes negativas, de diversas clases, y las falsas suposiciones, que acabarán por sofocar esa parte de la productividad de la organización. Si no se corrigen estas infecciones pueden crecer, invadir toda la organización, reducir su productividad y al final provocar la muerte de la misma. Esta es la razón por la cual es muy importante reconocer los obstáculos e impedimentos individuales y los de la organización, desde el punto de vista de las comunicaciones y luchar por disminuirlos, neutralizando el impacto que crean sobre la comprensión.

Es imposible eliminar todas las barreras en las comunicaciones. Sin embargo, la mayoría de ellas pueden reducirse en gran parte. Una barrera en las comunicaciones puede definirse como todo lo que impide o distorsiona los esfuerzos que se realizan por crear el entendimiento entre individuos o grupos.

Durante los seminarios de dirigentes pido con frecuencia a los asistentes que anoten los obstáculos más destacados en las comunicaciones. Los que con más frecuencia mencionan son:

- El cambiar la onda para no escuchar de ese modo a la persona, oyendo solo lo que queremos oir.
- El permitir que las emociones personales alteren o distorsionen la información.
- La falta de confianza en los móviles de otro.
- El ruido u otras distracciones.
- Diferencias en los sistemas de evaluación y percepción.
- Falta de deseo en cuanto a recibir una información que está en conflicto con las convicciones o las opiniones anteriores.
- Uso de palabras con significados variados y diversos.
- Actuación de las personas que no corresponde con lo que dicen.

Si bien es imposible lograr una comprensión absoluta entre los individuos sin distorsión, las barreras pueden disminuirse y los malentendidos pueden reducirse a un mínimo mediante el uso de las siguientes técnicas:

- De ser posible emplee la comunicación directa (cara a cara).
- Emplee palabras sencillas y que vayan al grano (no trate de impresionar a la otra persona con su dominio del idioma).
- Pida su opinión a la persona que le escucha.
- Dedique toda su atención a la persona que habla.
- No interrumpa nunca al que habla (que no está listo para escucharle hasta haber dicho lo que piensa y siente).
- Permita la libertad de expresión. Acepte no estar de acuerdo; muéstrese deseoso de aceptar las ideas y sentimientos de la otra persona, aunque no esté de acuerdo con ella).

Paso cuarto: El receptor deberá comprender la información transmitida escuchando las palabras y observando las acciones. El que escucha desempeña un papel importante en el proceso de la comunicación, teniendo que enfrentarse con todos los impedimentos que inhiben o distorsionan las ideas o sentimientos verdaderos, a la vez que observará las acciones y escuchará las palabras de la persona que envía el mensaje. La importancia que tiene saber escuchar la estudiaremos más detenidamente en este mismo capítulo, más adelante.

Paso 5: El receptor deberá interpretar las palabras y acciones. La traducción de las palabras y acciones en ideas o sentimientos es un paso muy delicado en la creación de la comprensión. Gran parte del sentimiento o de la idea original puede perderse en este paso del proceso de la comunicación.

Paso 6: El que escucha o receptor deberá crear ideas y sentimientos que corresponda. Si la idea y el pensamiento que se transmiten en el Paso 1 son las mismas que las que se reciben en el paso 6, habrá comprensión y los que participen conseguirán una buena comprensión. Por otro lado, si la idea del paso 6 difiere de la del paso 1, existirá un malentendido y la comunicación se habrá roto.

El Papel que Desempeña el que Escucha en el Proceso de la Comunicación

"Management Training Systems" es una empresa que ha estudiado a miles de empleados para tratar de determinar las causas de la mala comunicación. Los resultados de la encuesta indican que los defectos auditivos son la causa de la mayoría de los malentendidos. La persona normal pasa el 70% de sus horas hábiles en comunicación verbal, el 45% de las cuales las invierte en escuchar. Además, se averiguó que a menos que haya recibido una preparación para saber escuchar, su eficiencia personal solo alcanza el 25%.

Muchas de las dificultades al escuchar se deben a que el cerebro escucha más de prisa de lo que una persona puede hablar. Se calcula que la persona normal puede escuchar de 400 a 600 palabras por minuto, mientras que la mayoría de las personas solamente hablan de 200 a 300 palabras por minuto. Como resultado de ello, la mente tiende a ocuparse de otros pensamientos durante la mitad del tiempo. Este divagar de la mente es causa de que al escuchar no se preste atención a todas las ideas y sentimientos que le presentan.

Cómo Mejorar la Habilidad de Escuchar

No hay que temerle a hacer preguntas para aclarar algo. El no hacerlas es una de las debilidades más frecuentes entre los oyentes. Muchos de ellos no quieren hacer preguntas por temor a que crean que no están prestando atención. (Aunque así fuera es mejor admitirlo durante la conversación que después de ella).

Durante mis primeros dos años en la universidad trabajé como ayudante de pintor. Una mañana mi jefe me llevó a una casa y me indicó cómo quería que la pintara, dándome incluso las indicaciones de los colores, sus combinaciones y los adornos necesarios. Antes de despedirse, me preguntó si me quedaba alguna duda con respecto al trabajo. Yo no quería que mi jefe pensara que no le había prestado atención, así es que le dije que no.

Por desgracia, cuando volvió para revisar el trabajo se dio cuenta de que no había comprendido sus instrucciones, pues los adornos estaban fuera de lugar y una de las paredes tenía el color equivocado. El resultado fue que tuvimos que repetir el trabajo. En cambio si yo hubiese preguntado se hubiesen evitado los errores.

No piense en la respuesta mientras la persona esté aún hablando. La mayoría de nosotros no sabemos escuchar porque preferimos hablar a escuchar. Mientras nos hablan estamos pensando en lo que vamos a decir en cuanto podamos. Eso hace que no nos concentremos en lo que nos dicen y da pie a malentendidos.

Evite falsas o prematuras suposiciones, acerca de lo que va a decir la persona. Si creemos saber lo que una persona va a decir, lo que en realidad oímos es lo que nos imaginamos que iba a decir, tanto si lo es como si no. Los que escuchan con frecuencia interrumpen al orador con palabras como: "Ya sé lo que estás pensando" o "Ya sé lo que vas a decir", esto nos demuestra que se han imaginado las cosas y posiblemente estén equivocados sobre las ideas y sentimientos del orador, esto dificulta la comprensión del verdadero sentido del mensaje que se transmite.

Hace algunos años tuve un jefe que con frecuencia me decía que sabía lo que yo le iba a decir o lo que yo pensaba. Como resultado de ello, oía solamente lo que quería, y con frecuencia no era lo que yo le decía. Era difícil trabajar para él por ser un mal oyente. Pero a pesar de ello se jactaba de tener un don especial para "leerme el pensamiento". Sin embargo, esto solamente provocaba malentendidos y acabé por presentar mi renuncia.

Evite interrumpir al orador. Dejando a un lado los casos en que pensamos que sabemos lo que nos van a decir, a veces tenemos la tendencia a interrumpir de manera muy poco oportuna. Olvidamos que "hay un tiempo para permanecer en silencio y un tiempo para hablar" (Ecle. 3:7). Este es un principio importante en la comunicación. El silencio es de suma importancia cuando la persona está comunicando sus ideas y sentimientos para que los demás participen de ellos. Cuando se interrumpe a un orador varias veces suceden varias cosas con el proceso de su pensamiento.

- Se altera la continuidad y la expresión del mensaje completo, haciendo que sea difícil entender los detalles expuestos.
- Al orador le cuesta trabajo escuchar lo que usted le dice porque aún está pensando en lo que va a decir.
- El oyente demuestra pensar que lo que tiene que decir es más importante que lo que el orador está diciendo.
- El oyente demuestra imaginarse el resto de lo que el orador va a decir.

Es evidente que todos esos factores contribuyen a que haya malentendidos. Por consiguiente, cada vez que uno de los interesados, ya sea usted o el otro, interrumpan al orador, puede estar seguro de que puede dar pie a malentendidos.

Haga un esfuerzo por reducir el "efecto filtrante" de sus prejuicios. Todos tenemos prejuicios en contra de los llamados "hippies" cuando les escuchamos nuestros prejuicios alteran y distorsionan lo que nos dicen, creando malentendidos. Por lo tanto, debemos de andarnos con cuidado con nuestros prejuicios hacia personas y ciertos temas y cuando los tratemos hacer preguntas que aclaren para asegurarnos que hemos entendido correctamente.

Capte las ideas y los sentimientos que se ocultan detrás de las palabras de otros. Las palabras son solamente un medio para transmitir ideas y sentimientos. Se ha demostrado que solamente se logra un 7% de comprensión de lo que se dice por medio de la palabra hablada. El 93% restante lo transmite: el tono de la voz, o alguna acción que no es verbal (véase la fig. 9). Para lograr el entendimiento el que escucha deberá acostumbrarse a captar las ideas y sentimientos expresados más allá de las palabras.

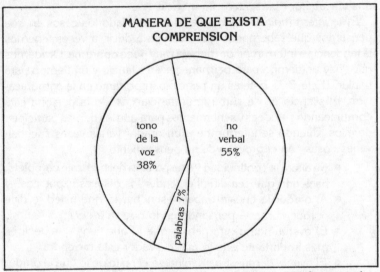

Figura 9. Este diagrama muestra cómo se pueden tansmitir los mensajes completos. Es sorprendente que lo que decimos no tiene tanta importancia como la manera de decirlo.

Debemos volvernos personas que saben escuchar de manera perceptiva, aprendiendo a oir más de lo que dicen las palabras. Pablo nos muestra su habilidad en este sentido cuando dijo: "Varones atenienses, he notado que ustedes son religiosos" (Hechos 17:22). Pablo se enteró de esto no solo escuchando hablar a los filósofos sino también observando su actuación (v. 23).

Si escuchamos de manera receptiva podremos captar el significado de lo que se expresa, por el tono de la voz, porque es lo que transmite el 93% del mensaje. (Mar. 8: 13-21), nos da un ejemplo clásico de cómo los discípulos, por no haber empleado el procedimiento de escuchar de forma perceptiva equivocaron el mensaje que les dio Jesús.

Después de haber alimentado a 4000 personas, Jesús y sus discípulos se metieron en una barquita en el Mar de Galilea, con rumbo a Betsaida. Durante la travesía Jesús les dijo que debían evitar "la levadura de los fariseos". Los discípulos discutieron esto entre sí y llegaron a la conclusión de que les había regañado por no haber traído pan con ellos. Oyendo lo que decían Jesús les preguntó: "¿Por qué habláis de no haber traído el pan? ¿Tenéis el corazón tan endurecido que no entienden? (v. 17).

Los discípulos fueron malos oyentes por varios motivos. Primero sólo oían las palabras y no las ideas y los sentimientos que se ocultaban tras ellas. No fueron oyentes perceptivos. En segundo lugar no hacían preguntas para aclarar los conceptos, sino que discutían entre sí el significado de las palabras de Jesús, lo cual significa que no las habían entendido.

A El no le preocupaba la falta de pan para la comida, pues acababa de alimentar a 4000 personas con solamente siete panes. El se refería al pecado y a la falta de fe de los fariseos como lo demostraba su conversación con ellos antes de salir con la barca. (vv. 11,12).

Este pasaje constituye un ejemplo clásico de lo que sucede cuando no escuchamos como es debido. Cuando sólo se presta atención a las palabras, sin percibir el significado. También se muestra lo reacias que son las personas a pedir una aclaración y lo que sucede cuando no se pide. Sin embargo, Jesús era un excelente comunicador y se dio cuenta de inmediato de la confusión de sus discípulos respecto a lo que les había dicho. Por lo tanto, se apresuró a aclarar sus ideas al respecto.

Actitudes Necesarias para el Oyente Perceptivo.

El oyente debe querer escuchar al orador. Muchas personas son malas oyentes por no estar interesadas en lo que dice el orador. El oyente debe tener presente que el que habla está convencido de la importancia de lo que dice y que considera necesario decir, ya que de otro modo no lo diría. Por lo tanto el oyente debe de estar dispuesto a oir lo que se está diciendo.

El contacto visual es el mejor medio para hacer saber al orador que se desea escucharle. También permite al que escucha mantener fija su atención sobre lo que se dice y cómo se dice. Es imposible hablar de oyentes perceptivos si no existe contacto visual, ya que gran parte del mensaje se transmite bajo la forma no verbal y solo se entiende mediante la observación.

El oyente debe estar dispuesto a aceptar las ideas y sentimientos del orador. Esto no implica que estemos forzosamente de acuerdo con lo que diga y piense. Sin embargo, el oyente debe respetar el derecho del orador a tener sus propias opiniones, ideas y sentimientos.

Hay que recordar que sus ideas y pensamientos, lo mismo que los sentimientos, representan a la verdadera persona. Si el oyente no quiere que el orador tenga sus propias ideas y sentimientos, le está diciendo en realidad: "No quiero que seas como verdaderamente eres, te rechazo". Por lo tanto, el oyente debe expresar por su actitud: "respeto tu derecho a opinar y pensar de esa manera, a pesar de no estar de acuerdo contigo."

Esta es una actitud muy importante cuando se trata de temas controversiales que pueden provocar conflictos. Al decir que reconoces el derecho de la otra persona a tener su propia opinión evitas que se ponga a la defensiva y no esté dispuesta a decir lo que piensa y siente. El oyente deberá recordar lo que dice la Escritura: "El hombre sensato refrena su lengua" (Prov. 11:12)

Insista en Mantener las Comunicaciones Sencillas

Pablo escribió a los corintios: "Hermanos cuando me presenté ante ustedes para comunicarles el mensaje de Dios, no empleé palabras altisonantes, ni conceptos profundos, porque me había propuesto hablar sólo de Jesucristo y de su muerte en la cruz." (1 Cor. 2:1) Corinto era una ciudad industrial que se envanecía de ser uno de los centros comerciales y culturales más grandes del Imperio Romano. Sin embargo, Pablo les recordó a los corintios que aunque vivían en un centro de educación y cultura, no intentaba impresionarles con un lenguaje profundo. Pablo era un buen orador porque tenía la facultad de poder presentar las grandes verdades con un lenguaje sencillo y fácil de entender. Este es un factor importante en la buena comunicación.

Lamentablemente en la actualidad existe la tendencia a adornar nuestro mensaje con palabras indescriptibles, de muchas sílabas, que tienen poco significado. Mi hija, que es alumna de una universidad, después de asistir a un curso de "Introducción a las Comunicaciones", llegó a casa muy decepcionada con el profesor. "Mi maestro tiene un doctorado en comunicaciones, pero la mayor parte de sus alumnos no podemos entenderle porque emplea palabras grandilocuentes, tratando de impresionarnos con lo mucho que sabe. Me entregó unas notas que había escrito en clase diciéndome: "Lee esta deficinión sobre lo que es la memoria, que nos ha dictado hoy". Tomé las notas y leí: "Con respecto a la memoria y su relación con el aprendizaje, se puede decir que es donde se almacena y se saca lo que es relativamente estable y que posee un potencial para la ocurrencia de la respuesta subsiguiente." "Ahora permíteme que te pregunte" me dijo mi hija, "¿qué significa todo eso?" Tuve que confesar que debía haber una manera más sencilla de definir la memoria.

Algunas de las más famosas declaraciones han sido las más sencillas. El Padre Nuestro, por ejemplo, tiene 56 palabras. El discurso de Gettysburg tiene 267 palabras, la Declaración de la Independencia tiene 1.322 palabras. Por contraste, unas normas recientes del gobierno, sobre la venta de la col, tiene 26,901 palabras. La tendencia a la laboriosidad y al exceso de palabras es una causa que agrava los problemas de la comunicación.

Fórmula para Lograr la Comprensión

El lograr la comprensión es relativamente fácil, siempre que las personas se esfuercen en mantener la comunicación sencilla y compartan sus ideas, sentimientos y actitudes con sinceridad. La comprensión se facilita mediante el uso de la siguiente fórmula:

Cuando _____ (ocurre) yo siento _____
_____ (indique lo que siente), porque _____
_____ (indique la razón).

Cuando _____ (ocurre) yo siento _____
_____ (indique lo que siente), porque __ (indique la razón).

Esta fórmula hace que el que habla diga exactamente lo que piensa, siente y el motivo. A menos que la información se comparta, el que escucha tendrá mucha dificultad en entender lo que se dice.

Resumen del Capítulo

Cuando Dios llamó a Moisés para que guiara al pueblo de Israel y lo sacase de Egipto, Moisés le respondió: "Señor, yo no sé hablar, nunca he sido un buen orador ni lo soy ahora, después de haberme hablado tú, porque soy tartamudo". (Ex. 4:10). Cuando Dios llamó a Jeremías para ser el profeta de Israel Jeremías dijo: "¡Oh Señor, Dios" dije yo, "no puedo hacer eso! ¡Soy demasiado joven! ¡No soy más que un muchacho!" (Jer. 1:6). El sentirse inadecuados a la hora de expresarnos es una experiencia común a todos nosotros; al menos en algunas ocasiones.

Sin embargo, todo buen líder es un buen comunicador, que posee la habilidad de transmitir el entendimiento a otros. La buena comunicación crea y mantiene la unidad, la dedicación y la motivación necesarias para alcanzar una meta. En realidad, la comunicación es el alma de una organización, sin ella el grupo se extingue.

La comunicación comienza al asegurarnos de que entendemos con claridad lo que deseamos comunicar, escogiendo con cuidado las palabras y los ademanes o gestos adecuados para transmitir el mensaje con sencillez y corrección.

Tanto el que habla como el que escucha deben darse cuenta del sinnúmero de barreras que impiden la comuniccion y esforzarse por disminuir su impacto sobre la comunicación.

El oyente desempeña un papel vital en la comunicación. Debe concentrarse para entender el significado que se oculta tras las palabras porque el 93% del mensaje lo expresa el tono de la voz y otras acciones que no son verbales.

El buen comunicador habla con precisión y escucha con atención. Expone clara y sencillamente lo que piensa y siente y en seguida escucha los pensamientos y el sentir de los demás.

Aplicaciones Personales

1. Identifique a las personas más cercanas a usted en la relación de trabajo.
2. ¿Cuáles son las barreras de comunicación que existen entre usted y estas personas?
3. ¿Qué medidas se pueden adoptar para reducirlas al mínimo?

4. Repase el proceso de comunicación descrito en este capítulo y piense lo que se puede hacer para mejorarla. Haga de esto un proyecto especial durante los días venideros, hasta lograr que la buena comunicación se convierta en algo habitual.

5. Repase la parte sobre cómo escuchar y trate de averiguar qué habilidades deben mejorarse. Acostúmbrese a ser un oyente perceptivo.

9
Cuándo y Cómo
Delegar Responsabilidad

Bud Walters es dueño y organizador de una empresa de construcción que tiene desde hace treinta y siete años. Hace poco su hijo Jerry vino a visitarme en la oficina y me dijo: "Myron, estoy pensando renunciar al trabajo que tengo con mi padre para irme a trabajar a otra parte·" Cuando le pregunté por qué, me dijo: "Yo he visto este negocio desde el principio, cuando surgió de la nada. Sin embargo, ahora él es víctima de su propio negocio, que le absorbe y dirige en vez de ser él quien lo dirija."

"¿Cuál es el problema?" pregunté, sin intención de causar la impresión de pretender meter las narices donde no me correspondía.

"Bueno", me dijo, "Mi padre nunca aprendió a delegar responsabilidades y según la empresa fue creciendo él trató de dirigir todas las facetas del trabajo. A pesar de que quise ayudarle a tomarse las cosas con más calma y a que trabajase menos, está convencido de que la compañía no puede salir adelante sin él" y meneando la cabeza continuó diciendo: "Me temo que esta empresa le va a causar la muerte."

El señor Mike Simpson, pastor asistente de una iglesia grande en la costa oeste de los Estados Unidos, me dijo durante un seminario para administradores: "No comprendo a mi jefe (el pastor), actúa como si creyera que él es la única persona que puede hacer algo en la iglesia y se empeña en formar parte de todos los comités, que de hecho se reúnen en su oficina, y no se hace nada sin su aprobación." Terminó diciéndome: "Eso es motivo de frustración, ya que hay mucha gente capaz, que desea hacer algo, pero él se empeña en llevar las riendas en todo.

Como asesor de ejecutivos, he escuchado una serie de quejas acerca de la incapacidad de los directivos en lo que se refiere a delegar autoridad. Puede que una persona esté en un puesto directivo, pero si no está dispuesta a delegar autoridad, no es un líder, es simplemente un "empleado". Lamentablemente muchos de nuestros ejecutivos cristianos, que trabajan todo el día, nunca aprenden a ser verdaderos ejecutivos, en el más amplio sentido de la palabra.

Lo que Significa Delegar

Delegar consiste en transferir autoridad y la responsabilidad de una persona a otra o a un grupo. En la mayoría de los casos se trata de transferir autoridad desde un nivel más elevado, en una organización, a otro más bajo. La delegación constituye un proceso de descentralización del poder de la organización. La descentralización implica dispersar la autoridad y la responsabilidad, desde arriba hacia abajo, en una misma organización, permitiendo que haya más personas autorizadas a tomar decisiones.

Un Caso Bíblico Sobre el Estudio de la Delegación

(Exodo 15:6) nos muestra a Moisés guiando al pueblo de Israel en su viaje por el desierto, camino a Canaán.

Moisés se parece a muchos de los líderes cristianos. Era un hombre espiritual y como tal era un poderoso guía. Pero a pesar de ello carecía de las habilidades necesarias para el desempeño de la obra que Dios le había encomendado. El pasaje empieza por describir un día típico en la vida de Moisés como dirigente de su pueblo. "Al día siguiente como de costumbre, Moisés se sentó desde la mañana hasta la tarde a escuchar las querellas que el pueblo tenía entre sí (v. 13). Esta representa una escena patética. El pueblo probablemente formaba colas, aparentemente durante todo el día, esperando la decisión de boca de Moisés. Este embotellamiento de la autoridad por el jefe de la nación debe de haber retardado mucho su avance en la dirección en que iban. Jetro, el suegro de Moisés, observó la situación y le preguntó (v. 14). "¿Por qué estás tratando de hacer todo esto tú solo y la gente tiene que esperar parada todo el día esperando tus consejos?" (v. 14).

Jetro le hizo preguntas penetrantes. Al responder a ellas Moisés reveló su filosofía como dirigente. Dijo que como líder espiritual se encontraba en una situación mejor para responder a las preguntas y tomar decisiones. "Yo soy el juez y debo decir quién tiene la razón y quién está errado y enseñarles a ellos los caminos de Dios." (v. 16).

Observe la respuesta de Jetro (v.17). "No está bien, le dijo su suegro. Te vas a agotar y entonces ¿qué le ocurrirá a tu pueblo?" ¿Qué te parece? ¡Qué audacia la de Jetro! Moisés le había explicado a este "extraño" que él tomaba todas las decisiones y que como líder espiritual se encontraba en mejor situación para enseñarles acerca de Dios y saber lo que él quería que hiciesen.

Observe también el comentario que añadió Jetro: "Esto es demasiado trabajo para tratar de llevarlo tú solo". (v.18) En esto Jetro señala lo que le pasa a los líderes que no delegan su autoridad, sino que todo lo centralizan (v.18). La gente y el dirigente se agotan. La gente se siente frustrada por el tiempo que tienen que esperar para ver algún resultado. El líder se agota por tener que tomar tantas decisiones a favor de la gente y la organización.

Durante los últimos años he observado la misma escena en muchas organizaciones cristianas e iglesias. Las personas se cansan de esperar que algo suceda como resultado de sus gestiones o solicitudes y los dirigentes se encuentran agotados al intentar tomar las decisiones ellos mismos.

Jetro, sin embargo, hizo ver a Moisés que debía subdividir la toma de decisiones y responsabilidades y delegar autoridad a personas íntegras: "Deja que estos hombres se encarguen de administrar justicia. Cualquier cosa que sea muy importante o complicada pueden elevarla a tí. Pero en los asuntos menores ellos pueden decidir por sí mismos. De este modo será todo más fácil para ti porque tú compartirás la carga con ellos." (v. 22)

Muchos dirigentes y administradores emplean esta parte del pasaje como excusa para no delegar autoridad, diciendo: "Si yo tuviera personas competentes, honradas, en quien pudiese confiar y delegar autoridad lo haría de inmediato, pero no tengo gente con experiencia para realizar la labor.

Las personas en quienes Moisés delegó su autoridad carecían también de experiencia. En Egipto no habían desempeñado esos puestos. La única experiencia que tenían era la fabricación de ladrillos de barro. Por lo tanto, las palabras competentes y dignos de confianza sólo quería decir que Moisés escogió a personas honradas y reconocidas como tales.

Moisés podría haberse burlado de las sugerencias de su suegro, pero como era una persona inteligente permitió que un extraño le diera un consejo para mejorar su habilidad como dirigente.

Moisés reconoció que tenía un problema y estuvo dispuesto a cambiar, aunque tuviese que delegar parte de su autoridad a otros. Las personas que escogió servían de jueces todo el tiempo. Los casos difíciles se los pasaban a Moisés, lo demás lo resolvían ellos solos. (v. 26)

Ventajas que se Obtienen de una Delegación Adecuada

Este pasaje destaca algunas de las ventajas que obtiene el dirigente que delega su autoridad:

La delegación facilita el trabajo del dirigente. Como le sucedió a Moisés, muchos líderes cristianos se encuentran agotados, debido a la tensión causada por enfrentarse con tantísimos problemas y las diversas presiones que sufre el dirigente de una organización cristiana. Al delegar el líder se libera, concediéndole tiempo y energía extras para resolver los aspectos más importantes del liderazgo y de la administración.

La delegación aumenta la productividad. No sólo permite al dirigente ser más productivo, sino que también aumenta la productividad de toda la organización. Las decisiones urgentes se hacen más rápidamente y, por consiguiente, las necesidades se atienden con mayor celeridad.

Al delegar se aumenta el liderazgo. La mayoría de las organizaciones cristianas carecen de la preparación necesaria con respecto al liderazgo. Los dirigentes no pueden enseñar a otros por falta de tiempo, ya que están excesivamente ocupados con la organización. Como resultado, tienen la impresión de que no hay nadie capacitado para asistir en la dirección. La delegación crea esta habilidad, dando experiencia para tomar decisiones y resolver problemas, preparándolas para tomar más responsabilidades.

Un dirigente de una organización internacional cristiana me decía hace poco: "Lo único que nos impide crecer como organización es la falta de dirigentes preparados." También me confirmó que en parte esto era debido a que los dirigentes se negaban a delegar su autoridad.

La iglesia primitiva creció con mucha rapidez debido a que sus dirigentes delegaban autoridad y responsabilidad desde el principio.

Hubo un momento en que los doce apóstoles no podían satisfacer todas las necesidades de la gente por el crecimiento. ¿Qué fue lo que hicieron? Delegaron su autoridad a otros en vez de intentar hacerlo todo ellos. Esto dio origen a la creación de más líderes y permitió a los apóstoles atender a su propio crecimiento espiritual. El resultado fue que la palabra de Dios se extendió. El número de discípulos en Jerusalén aumentó con rapidez (Hechos 6:7).

Al delegar el líder cristiano tiene más tiempo para su crecimiento espiritual personal. El pasaje en Hechos 6: 1-7 nos ilustra una de las razones por las cuales es preciso delegar en las organizaciones cristianas. Algunos dirigentes se encuentran tan ocupados en los detalles de la organización y de su dirección, que no tienen el tiempo necesario para averiguar qué es lo que Dios está haciendo y qué es lo que espera que ellos hagan por él.

Los doce apóstoles nos dieron el ejemplo Al darse cuenta que no debían dejarse atrapar por la trampa del exceso de trabajo y el aumento constante de sus responsabilidades, delegaron su autoridad como medio de ganar tiempo en abundancia para dedicarlo a Dios en la oración y el estudio de su Palabra. El dirigente cristiano, atado por la rutina y los múltiples detalles de la dirección y el liderazgo de la organización, que pueden trabajar en una empresa cristiana, probablemente no llevan a cabo los planes que Dios tiene para él. Para hacer la voluntad de Dios, el dirigente debe pasar suficiente tiempo con Dios para enterarse de cuál es su voluntd.

La primera responsabilidad del dirigente cristiano es para con Dios. Por lo tanto, deberá disponer del tiempo necesario para dedicarle a Dios a fin de poder dirigir su obra. El delegar es la forma de conseguirlo.

El delegar estimula el poder creador de los empleados. La delegación permite que el empleado se sienta parte integrante del equipo organizador. Jim Kegin, un amigo que trabajaba como vendedor en una empresa procesadora de carnes en Oklahoma, fue llamado por su jefe que le dijo: "He decidido dejar que sea usted el que marque los precios para los clientes." Le explicó cuánto costaba la carne que estaba vendiendo y le indicó además que deseaba obtener una ganancia de un 20%, si fuera posible. Jim puso los precios según le dijo el jefe y salió a vender.

La responsabilidad añadida de poner los precios le hizo sentir a Jim su importancia como empleado de la compañía. Trabajó con más ahínco para obtener la ganancia y también realizó los planes para alcanzar nuevos mercados, de tal modo que al transcurrir seis meses había duplicado sus ventas y el margen de las ganancias. El hecho de delegar las decisiones y la responsabilidad añadida hizo que se volviese más creador en su trabajo.

La delegación es prueba de la confianza que el jefe tiene en la habilidad de sus empleados. El Sr. Tuesdale trabajaba en una oficina, como especialista en la contribución del Servicio de Recaudación de Rentas Internas. Un día me dijo que pensaba dejar su trabajo. Cuando le pregunté en broma si se había cansado de perseguir a los deudores, me respondió que estaba cansado de trabajar para un jefe que no se fiaba de sus empleados, en cuanto al trabajo, y solamente les permitía hacer los trabajos sencillos, pero cuando llegaba algo de importancia se lo daba al asistente de la gerencia o lo hacía él mismo.

Había llegado a la conclusión de que no confiaban en él. Instaló su propio negocio de asesor de impuestos y en la actualidad es responsable de llevar algunas de las cuentas más importantes de la región. Su jefe no solamente perdió a un magnífico empleado, sino que había estado perdiendo el tiempo haciendo el trabajo que Al sabía hacer.

El delegar estimula la motivación y el apego a la empresa por parte del empleado. J. Paul Getty, que era un magnate del petróleo, era partidario de delegar y confiaba en sus empleados, autorizándoles a tomar decisiones. Por este motivo tuvo algunos de los mejores empleados en su negocio.

En un principio el negocio del petróleo no pudo competir con las compañías grandes ni en salarios ni en beneficios, pero siempre tuvo algunos de los mejores obreros en los campos petroleros. Una vez llegó un experto en perforación de pozos a buscar trabajo. "¿Por qué quiere trabajar conmigo?" Le preguntó Getty. "Usted sabe que yo no puedo pagarle un sueldo como el que tiene en la actualidad ni alojarle, pues mis empleados van y vienen todos los días."

El empleado sonrió y le contestó: "Sus hombres me han contado que usted es una persona que permite a sus empleados tomar parte en los planes y en las decisiones y que además les consulta acerca de la perforación de los pozos. Yo prefiero ganar menos y trabajar para un jefe que sea así."

La mayor parte de los empleados dicen lo mismo cuando el dirigente es una persona que delega toda la autoridad a los empleados, que se vuelven leales y se entregan de lleno a la empresa.

Todo dirigente necesita delegar más

Jamás he encontrado a un dirigente que delegara todo lo que debiera. El gráfico de la figura 10 explica las razones.

El gerente es responsable de más de lo que puede hacer bien hecho. Esto no significa que no cumpla debidamente con su trabajo ya que a la postre lo lleva a cabo, pero la cantidad de sus actividades es tal que no puede efectuarlas con la necesaria rapidez. Siempre quedan algunas descuidadas y desatendidas ya sea por falta de tiempo o por falta de energías. Por lo tanto, su trabajo es una lucha constante por abarcarlo todo.

Al dirigente que se encuentra atrapado por este dilema se le puede reconocer fácilmente porque no asiste a la hora del café, ni tampoco hace un alto para comer. Los fines de semana se los pasa en la oficina trabajando para poder acabar un proyecto. Es el primero en llegar a la oficina y el último en salir. Algunos de sus compañeros les tildan de buenos "agentes de la compañía" y hasta los admiran por su lealtad y dedicación al trabajo. Algunas veces los jefes se refieren a ellos como la "espina dorsal de la compañía." En su casa las esposas tienen para ellos nombres que no se pueden imprimir. A pesar de todo esto simplemente se trata de dirigentes que nunca han aprendido a delegar.

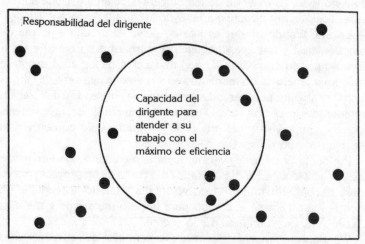

Figura 10: Los puntos en este gráfico representan los deberes personales del líder. El rectángulo representa el alcance de su responsabilidad total y el círculo representa el área en la cual ejerce su capacidad con la mayor eficiencia. Observe que el área de sus responsabilidades es mayor que su habilidad para atender a todas sus obligaciones con el máximo de su eficiencia.

En mi capacidad, como asesor de dirigentes, no les tengo mucha simpatía porque viven quejándose de que no disponen del tiempo necesario para hacerlo todo. Yo no conozco a ningún jefe que después de delegar el trabajo tenga que trabajar todavía 60 horas a la semana, solamente para conseguir mantenerse al día. Si lo hace es porque quiere, no porque lo necesite. Pero he conocido a algunos que, por desgracia, tenían que trabajar horas extras y los fines de semana por no saber delegar. Como le sucedió a Moisés, se están agotando con trabajos que deberían desempeñar otras personas.

El Proceso de Delegar Responsabilidades

Primer paso: Reconozca las limitaciones de sus capacidades. En su mayor parte los gerentes no delegan su poder para decidir, a otros hasta que se sienten agobiados por el trabajo. Moisés no delegó su autoridad, hasta que se dio cuenta de que le resultaba imposible hacerlo todo. La mayoría de los dirigentes odian tener que admitir que necesitan a otros para que les ayuden con sus responsabilidades.

La Sra. Wanda Hinsley es jefa de personal de una empresa de electrónica. Es una gran trabajadora y muestra un enorme entusiasmo por su compañía. Con el transcurso de los años debido a su competencia ha ido reuniendo en su persona una serie de cargos como relaciones públicas, adiestramiento de empleados, decoración interior de la oficina, comunicaciones interiores de la empresa, correo y supervisora del grupo de secretarias que constituyen el secretariado administrativo de la empresa.

Por ser la Sra. Hinsley vecina nuestra, me entero con frecuencia de sus actividades. En días pasados me contó de un proyecto nuevo para el cual se había ofrecido voluntaria. Cuando le pregunté de dónde iba a sacarse el tiempo para hacerlo me sonrió y me dijo: "Ya lo veré, de algún lado me lo sacaré."

Wanda, como muchos directivos, ha permitido que su entusiasmo por su trabajo la arrastre y la haga caer en la trampa de la actividad excesiva. Sus responsabilidades han aumentado considerablemente, más de lo que puede hacer, en realidad, pero a pesar de ello no se da cuenta y continúa ofreciendo sus servicios como voluntaria para hacer trabajo que humanamente no puede. Ella lo justifica diciendo que es una "viciosa del trabajo." La verdad es que sigue siendo una buena dirigente, pero no comprende las limitaciones de sus capacidades y, por lo tanto, no se da cuenta de la necesidad de delegar a otros una parte del trabajo.

El dirigente no debe de esperar a llegar al límite de su capacidad para delegar responsabilidades. El hecho de delegar permite a los empleados tener la responsabilidad para conocer y ampliar sus habilidades directivas, les enseña a resolver problemas y a utilizar su creatividad. Al dirigente le da, entonces, más tiempo de atender otros aspectos de mayor importancia. Por lo tanto, el dirigente debe hacer un esfuerzo por delegar proyectos, tanto si tiene exceso de trabajo como si no.

Paso dos: Explique el propósito de la delegación. El delegar tiene muchos propósitos. Puede emplearse para dar más tiempo al dirigente para enseñar a los empleados como líderes, para mostrar reconocimiento por un buen trabajo, para ampliar sus conocimientos técnicos.

Por lo tanto es importante explicar el motivo que obliga a delegar, ya que esto afecta, a la vez, a la persona que delega y al que recibe la delegación y al trabajo que se ha de realizar.

Por ejemplo, si el dirigente para poder capacitar a más líderes usa la delegación, debe escoger proyectos que requieran el resolver problemas y hacer planes, no el realizar trabajos rutinarios y que son ya del conocimiento de los empleados.

Nunca delegue para mantener a las personas ocupadas. El exceso de trabajo no logra nada y sólo indica que al dirigente le interesa más el aparentar la actividad que la producción. El exceso de trabajo lo consideran los empleados como una especie de castigo y provoca el descenso de la moral. Presenta al jefe como un mal dirigente, incapaz de planear ni organizar con efectividad. El mantenerlos ocupados es una vanidad del jefe que se consigue a costa de los empleados.

Paso tres: Escoja las actividades o proyectos que va a delegar. Una vez que el dirigente sepa por qué precisa delegar, debe ver qué proyectos y actividades debe asignar. El propósito determinará las actividades que se seleccionen, no la primera que se le ocurra, sino la más adecuada al propósito.

Paso cuarto: Escoja a las personas en quienes va a delegar. Al hacer esta selección el líder debe responder a las preguntas siguientes:

- ¿Cuál de los empleados es el más capacitado para el trabajo en cuanto a su experiencia y preparación?
- ¿Hay alguno de ellos más interesado en la actividad que los demás?
- ¿Tendrá el empleado tiempo para realizar el trabajo además de atender a sus obligaciones normales?
- ¿Cuándo podrá el empleado estar preparado para hacerse cargo de su nuevo trabajo?

- ¿Necesitará la persona seleccionada de alguna ayuda especial o preparación determinada?

El encontrar a la persona adecuada para el trabajo constituye la clave para obtener una delegación que sea eficaz. Esta es una facultad que muy pocos dominan. Jetro le dijo a Moisés: "Busca algunos hombres capaces, piadosos y honestos, que odien el soborno, y desígnalos como jueces." (Ex. 18: 21). De modo similar, Nehemías dijo: "Ordené asumir el gobierno de Jerusalén a mi hermano Hanani y a Hananías, el comandante de la fortaleza, hombre muy fiel, que temía a Dios, más que cualquier otro en el pueblo." (Neh. 7:2). Estos versículos nos muestran la importancia que tiene escoger bien a la persona adecuada para ocupar el puesto. El no hacerlo puede ser la causa del fracaso del proyecto que se está delegando.

Paso cinco: Reúnase con el empleado que ha escogido. Para explicarle, con detalle, todas las instrucciones, obligaciones y demás requisitos, relacionados con el proyecto, así como todos los factores que le conciernen. Las buenas comunicaciones constituyen un factor importante en el proceso de la delegación. Cuando se esté haciendo la asignación del proyecto, cerciórese que el empleado ha entendido bien los siguientes datos:

- Cuando comienza la tarea.
- Todo lo referente a la manera de llevarla a cabo.
- Qué autoridad le conceden al empleado para tomar decisiones.
- Con qué recursos cuenta: tales como personas, equipo, materiales.
- El procedimiento especial necesario para realizar el trabajo.
- A quién debe de responder el empleado y a quién puede acudir para solicitar ayuda.
- Cuál es el objetivo del proyecto y en qué lugar encaja en el plano general con los otros proyectos y actividades.
- De qué manera se evaluará el trabajo del empleado.

La falta de comprensión, por parte del empleado, sobre cualquiera de los puntos anteriores puede causar problemas y hasta producir el fracaso. Por lo tanto, éste es uno de los pasos más importantes en el acto de delegar. Se debe tomar todo el tiempo que sea necesario para estar seguro de que el empleado ha comprendido todos los requisitos. Anímele a que acuda a usted o a que se dirija a la persona adecuada si tiene alguna duda.

El cumplir con estos requisitos permite al empleado estar seguro de su habilidad para desempeñar la labor correctamente y le da confianza para que se encargue de otros proyectos que en el futuro se le presenten. Yo aprendí esto cuando trabajaba como dirigente en la industria privada. Un día pedí un voluntario para hacer un proyecto importante, una de mis mejores empleadas se comprometió a realizarlo. Me reuní con ella y le expliqué que se trataba de un trabajo que se debía entregar antes de la tarde de ese día. Sin embargo, me olvidé indicarle en dónde podía encontrar los materiales necesarios para hacer el trabajo. Una vez dado el encargo, salí de la oficina y cuando regresé, por la tarde, me la encontré casi llorando.

No le había sido posible encontrar los materiales de modo que no pudo cumplir con su compromiso. Al principio me sentí muy contrariado, aunque me había dado cuenta de que no era culpa de ella. Fui yo el que cometió la equivocación, por no haberle dado todas las instrucciones necesarias. Mi jefe se molestó conmigo. No obstante, lo peor de todo fue que una de mis mejores colaboradoras decidió no volver a colaborar desde ese momento, debido a que no le expliqué como era debido los detalles.

Paso seis: Manténgase en comunicación constante con el empleado mientras realiza el proyecto. Algunos dirigentes cometen el error de delegar un proyecto, pero no se mantienen en comunicación con el empleado mientras lo lleva a cabo. Cuando se mantiene una comunicación constante se evitan todos los imprevistos y permite al empleado darse cuenta del interés con que sigue su trabajo y permite al empleado saber que usted siempre estará presente para resolver cualquier problema que surja en relación a éste.

Elementos que Integran una Delegación Eficiente

Hay tres elementos importantes que hay que tomar en cuenta para delegar: la responsabilidad, la autoridad, y la persona a quien se dará cuenta o razón de sus actos en el trabajo.

La responsabilidad representa la actividad que va a desempeñar. Cuando se delega responsabilidad hay que asegurarse que el empleado se da cuenta de lo que hay que hacer. La autoridad representa el poder necesario para decidir y cumplir con la responsabilidad. El dar cuenta representa la obligación de llevar a cabo la responsabilidad y ejercer la autoridad en los términos que se reconocen como "reglamentaria" en los negocios.

Para que la delegación de la gerencia tenga éxito, el empleado deberá conocer cuáles son sus responsabilidades, de cuánta autoridad dispone para decidir y además debe darse cuenta de que se le hará responsable de sus actos.

El dirigente no debe nunca dar responsabilidades, sin a la vez otorgar autoridad necesaria para realizar la labor. Hace algunos años trabajé como director de personal y me dí cuenta al intentar redactar los procedimientos y los planes a seguir por la compañía, con respecto a sus empleados, pero pronto me enteré que no tenía la suficiente autoridad para redactar los formularios en donde se debían escribir. Cuando mi jefe me devolvió la primera póliza encontré que la habían redactado de nuevo, en su totalidad, y me dí cuenta de que lo que quería era que se adoptara la redacción que él había dado.

Llegué a la conclusión de que mi puesto allí era el de un simple secretario, perdí interés en mi trabajo y a los pocos meses renuncié y fui en busca de un jefe que supiera delegar autoridad y responsabilidad.

Cómo Delegar sin Perder el Control

Cuando no se fijan de antemano los límites a la autoridad se da origen a casi todos los problemas que acompañan al delegar. Muchos dirigentes se niegan a delegar por imaginar que al hacerlo pierden el control de los resultados. Un dirigente decía: "Cuando me acuesto por la noche, después de haber delegado algo importante, no duermo hasta que el proyecto se termina. Me temo que no salga bien ya que yo soy el responsable."

Cuando no se señalan los límites de la autoridad se da lugar a muchos problemas. Don Jamison, corredor de bienes raíces, fue contratado por el departamento de Educación Continuada de la Universidad. Era un catedrático joven y enérgico que quiso revisar y cambiar en pocos días el programa vigente. Suprimió algunos cursos, añadió otros y creyó con esto mejorar el programa.

La sección de Educación había invertido un tiempo y un esfuerzo considerables en preparar el programa y el horario y, por eso, al director le molestó mucho cuando se enteró de los cambios y optó por despedir a Don.

Hablando con el Director, días después admitió que Don era un excelente instructor, pero que había cometido algunos errores inexcusables. Le pregunté entonces si había informado a Don de las limitaciones de su autoridad y me respondió de forma negativa diciendo: "Puede haber sido error nuestro por no haberle explicado de manera explícita sus derechos y limitaciones", pero indudablemente la mayor parte de culpa era del Director por su actuación posterior. Todos los errores se podrían haber evitado si le hubieran explicado las cosas con claridad diciéndole cuáles eran los límites de su autoridad. La limitación de la autoridad permite al dirigente preveer las acciones de sus subordinados. Supongamos que usted es dueño de un aserradero y que yo soy el supervisor. Yo he sido un buen supervisor durante años y usted se da cuenta que debe delegar más autoridad en mí. Entonces me llama a su oficina y me dice: "Myron, he decidido permitirle que contrate usted a los nuevos empleados que trabajarán a sus órdenes." Le doy las gracias a pesar de saber que podría hacer un trabajo mejor que el que usted hizo. El lunes siguiente temprano empiezo a entrevistar a los posibles empleados.

Entrevisto al primero que tiene doce años de experiencia en un aserradero de Oregon, pero quiere ganar demasiado. Además quiere tener los sábados libres. Nosotros trabajamos los sábados por la mañana, pero me acuerdo de que usted me autorizó a que yo tomase las decisiones. De modo que le contrato pagándole dos dólares más por hora que a los demás empleados y dándole los sábados libres. ¿Cómo reaccionaría usted? Seguramente se sentiría muy molesto y decidiría que no podía confiarme la autoridad para decidir. Sin embargo, mi error fue culpa suya porque usted debería de haberme advertido de cuáles eran los salarios, cuáles eran los horarios y cualquier otro requisito, tales como habilidades especiales, fuerza física, etc. Yo seguiría teniendo la autoridad para contratar, pero los dos hubiésemos comprendido las limitaciones tal y como ilustra la figura 11.

Los límites de la autoridad sirven para proteger a la vez al dirigente y al empleado, al señalar el punto en donde termina el poder para decidir y donde comienzan las recomendaciones. Es preciso reconocer que de ambos lados de la línea de la autoridad se hacen divisiones con la ayuda de otras personas. Tanto el jefe como el subordinado deben continuar recibiendo las sugerencias de otros, aunque la responsabilidad sea exclusivamente suya a la hora de tomar la decisión final.

Los límites de la autoridad eliminan la confusión en cuanto a quién es el responsable de las decisiones. Los límites ayudan a aclarar los límites de la autoridad, permitiendo tanto al líder como al subordinado a sentirse más seguros del papel que desempeñan. El líder no tiene que preocuparse de que los subordinados tomen decisiones fuera de las normas trazadas o de la política de la

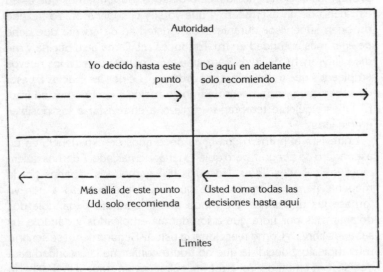

Figura 11. *Este diagrama muestra cómo los límites sirven en el proceso de delegar. Cada vez que se delega el poder de decidir, deben revisarse los límites y aclararse.*

compañía. Por otra parte el subordinado no tiene la preocupación de sobrepasar la autoridad del jefe al tomar una decisión.

Los límites también contribuyen a evitar que el jefe le delegue un proyecto al empleado y éste se lo delegue nuevamente a él. Muchos empleados se sienten inseguros bajo la responsabilidad de tomar decisiones, delegando de nuevo el problema al jefe al seguir preguntándole qué hacer con ésto o aquello, referente al proyecto. El dirigente puede encontrarse de nuevo respondiendo a tales preguntas y al final decidiendo por sus subordinados. Cuando los límites de autoridad se han fijado con claridad, el dirigente solo tiene que recordarle a su empleado que la responsabilidad le corresponde a él, siguiendo ciertas normas.

Finalmente se puede añadir que cuando el empleado adquiere una mayor habilidad y soltura, los límites de la autoridad deben y pueden ensancharse.

Razones que Impiden al Dirigente Ceder su Autoridad

Durante los últimos años me ha tocado ver y escuchar las numerosas razones y excusas de los dirigentes por las cuales se niegan a delegar su autoridad. Las más frecuents son:

- El trabajo no se haría de la forma que yo quiero hacerlo.
- Mis subordinados carecen de la preparación necesaria para llevar a cabo el trabajo.
- A mí me gusta el trabajo y, por lo tanto, no quiero delegar.

El trabajo no se haría de la forma que yo quiero hacerlo. Esta es la excusa más frecuente, cuando el dirigente piensa que el subordinado no haría el trabajo de la misma manera que lo hace él y probablemente está en lo cierto, ya que es raro que dos personas hagan un trabajo de la misma manera. Es de lamentar que el dirigente que utiliza esta excusa se pone a sí mismo como ejemplo que sirve de norma para juzgar el trabajo de los demás. Además está poniendo un límite a lo que los demás pueden cumplir. Con delegar no tardaría en convencerse de que no sólo podría el empleado hacer el trabajo de manera diferente, sino que también lo haría mejor. Siempre que el dirigente evite el delegar, está condenando a la organización a que nunca obtenga ningún logro mayor que lo que él mismo pueda planear, pensar, crear o producir.

Mis subordinados carecen de la preparación necesaria para llevar a cabo el trabajo. Esta excusa resulta divertida, ya que el jefe reconoce su incapacidad como dirigente y administrador de personas. El delegar es uno de los medios mejores y menos costosos para entrenar el personal de que dispone un encargado. El dirigente que dice que no están entrenados, está admitiendo que lo que debe hacer es delegar para enseñarles.

Me gusta el trabajo y, por lo tanto, no quiero delegar. Este es un problema que con frecuencia se observa entre líderes y directivos, en especial entre los que han sido promovidos desde abajo dentro de la organización. Es probable que en un tiempo ellos desempeñaron el puesto que hoy tiene uno de los subordinados. Como sabemos las personas tienden a moverse o sentirse atraídas por lo que resulta familiar, por eso al jefe le cuesta trabajo dejar sus responsabilidades anteriores. Este es un problema normalmente más grande para los jefes que acaban de ser ascendidos que para los que llevan más tiempo en el cargo.

Dios Nos Dio el Ejemplo Para Delegar

(Salm. 8: 3-6) describe la filosofía divina en cuanto a delegar. "Cuando alzo la vista al cielo nocturno y contemplo la obra de tus manos, la luna y las estrellas que tú hiciste, no logro comprender por qué te ocupas del insignificante hombre y le prestas atención. Lo hiciste apenas un poquito inferior a los ángeles. Y lo coronaste de gloria y honra. Pusiste a su cuidado todo cuanto has hecho; todo ha sido puesto bajo su autoridad." ¡Qué ejemplo más hermoso para el dirigente cristiano!

Aquí tenemos una descripción de Dios, creando el Universo y después de su trabajo perfecto y admirable, pone al hombre como encargado de todo ello, mostrándole la confianza, credulidad y amor. Si Dios está dispuesto a ponernos de guardianes de lo que ha hecho con tanta perfección ¿cuánto más deberá el dirigente cristiano delegar su autoridad y responsabilidad a los que se encuentran debajo de él?

Resumen del Capítulo

Delegar puede definirse como el acto de transferir autoridad, responsabilidad y rendición de cuentas de una persona o grupo a otra.

Exodo 18:26 nos muestra un caso excelente de estudio en el que se expone el por qué es necesario delegar y qué es lo que implica.

El delegar hace más fácil la tarea del líder y aumenta la productividad del grupo, y es una excelente herramienta para conseguir fuertes líderes dentro del grupo, además permite al líder cristiano más tiempo para madurar espiritualmente.

Todo dirigente debe esforzarse por delegar más. Debe aprender a delegar de modo efectivo, asegurándose que comprende lo que significa delegar y enseguida escoger al personal indicado para el trabajo.

Muchos dirigentes temen delegar porque tienen la impresión de perder el control de los resultados. Este temor puede eliminarse con facilidad señalando los límites de la autoridad en la forma en que se delega a los subalternos.

El dirigente deberá tener presente que mientras no delegue, su puesto equivaldrá simplemente al de un empleado. No al de un dirigente cristiano verdadero que tiene un puesto que solo debe cubrir un dirigente cristiano en verdad.

Aplicación Personal

1. Estudie la figura No. 10, identifique dentro del área de su responsabilidad las actividades que se encuentran aparte de su capacidad paa actuar con la máxima eficiencia.

2. Repase el proceso de delegación y empiece a emplearlo para delegar y señalar las actividades anotadas anteriormente.

3. Al delegar cada proyecto asegúrese de que los límites de autoridad están bien definidos.

4. Anote y guarde los resultados que obtuvo al delegar.

10
El Tiempo
y su Distribución

Will Rogers acostumbraba decir: "No es tanto lo que se hace cada día, lo que cuenta es lo que conseguimos hacer." S. Pablo enfatizó lo mismo cuando escribió: "Así que cuidado como viven ustedes, sean sabios, no ignorantes, aprovechen bien el tiempo porque los días son malos" (Efesios 5: 15-16) "Aprovechen bien las oportunidades de hablar del evangelio, pero sean sabios al hacerlo. (Col. 4: 5).

Aristóteles Onasis, el multimillonario dueño de barcos que amasó grandes fortunas como armador, dijo en una ocasión en la que le preguntaron cuál era el secreto de su éxito: "Aprendí el valor y la importancia del tiempo: por eso trabajo 2 horas más al día y de esa forma gano el equivalente a un mes adicional al año.

Dawson Trotman, fundador y primer presidente de "Los Navegantes" solía decir: "El tiempo más desperdiciado es el tiempo empleado en comenzar."

Todas las citas anteriores tienen en común el hacer hincapié en la importancia de aprovechar el tiempo. Tanto Dios como los hombres están de acuerdo en que el tiempo debe aprovecharse y no desperdiciarse.

¿Qué se entiende por tiempo?

No hace mucho al revisar mi calendario de bolsillo después de anotar lo que había hecho diariamente durante las últimas semanas, me dí cuenta que estaba repasando los principales sucesos de mi vida. Noté con ansiedad que el paso del tiempo significa el paso de la vida, y pensando así ví el tiempo con una nueva importancia y significado. Pensé que las personas que tienen problemas en la distribución de su tiempo tienen en realidad problemas para aprovechar sus vidas.

El tiempo es el recurso más valioso. El tiempo tiene una característica única, porque a diferencia de otros recursos no se puede guardar ni economizar. Con frecuencia oímos decir: "tengo que ahorrar tiempo." Pero el tiempo no puede economizarse ni guardarse para emplearse después, se tiene que emplear en el momento en que está disponible. Lo que usted es y lo que usted posee están unidos a cómo ha empleado su tiempo. Por tanto viendo lo que una persona posee y escuchando su conversación se puede saber cómo ha empleado su tiempo.

A todos se nos da la misma cantidad de tiempo. El tiempo no discrimina. Todos disponemos de los mismos 60 minutos en cada hora, 24 horas en un día, 7 días en una semana y 52 semanas en un año. La diferencia consiste en la manera como distribuimos y empleamos nuestro tiempo.

Por tanto, la sabiduría al emplear el tiempo no consiste en economizarlo para adquirir más. El secreto está en saber emplear los 60 minutos de una hora, y ser industrioso como expresa de modo tan colorido la Biblia:

¡Aprende de las hormigas perezoso! Imita sus costumbres, y sé sabio. Pues aunque no tienen rey que las obliga, trabajan empeñosas todo el verano, recogiendo alimento para el invierno. Pero tú no haces más que dormir. ¿Cuándo vas a despertar? ¡Déjame dormir un poquito más! ¡Claro, sólo un poquito más! Y mientras duermes, viene furtivamente la pobreza como ladrón, y te destruye; la necesidad te ataca con todas sus armas. (Prov. 6: 6-11).

Ladrones de tiempo

"Así que cuidado como viven ustedes. Sean sabios, no ignorantes: aprovechen bien el tiempo, porque los días son malos" (Efesios 5: 15-16) El sabio aprovecha al máximo las oportunidades que se le brindan. El líder cristiano debe vivir consciente del tiempo, conociendo que el tiempo es su recurso más valioso.

El líder preocupado por aprovechar su tiempo al máximo, debe identificar a los que le roban su tiempo para poder eliminarlos sistemáticamente. Se le llama ladrón del tiempo a cualquier actividad controlable, que impide o retrasa el esfuerzo para poder cumplir con su tarea o trabajo.

Durante un seminario para administradores celebrado en Chicago recientemente, le pedí a 30 dirigentes y líderes cristianos que hicieran una lista de las principales causas que les quitaban su tiempo en sus trabajos.

Las que mencionaron con mayor frecuencia fueron las siguientes:
- Dejadez o inercia
- Falta de planeamiento personal
- Interrupciones por personas que no habían concertado una cita
- Falta de delegación
- Por no emplear el teléfono debidamente
- Lectura de correo intrascendente
- Falta de preocupación con la distribución del tiempo
- El no señalar las prioridades con claridad

Manera de Identificar a sus Roba-tiempos Personales

Carece de valor preocuparse por lo que le roba su tiempo si no se hace uso de un método para señalar las causas. La figura 12 permite a la persona identificar cuáles son las causas de pérdida de tiempo.

La parte izquierda de la figura señala lo que precisa hacer al día siguiente a una hora determinada. La parte derecha sirve para anotar la actividad que es preciso hacer a esa hora. Al pie de la hoja se anota el tiempo que se empleó de alguna otra manera. Por regla general todas las actividades que lo obligan a salirse y romper su horario son los verdaderos "ladrones de tiempo."

Modo de Emplear la Hoja de Inventario para Estudiar la Distribución del Tiempo

La distribución del tiempo es una tarea ardua, por consiguiente, la mayoría de los que se quejan de cómo emplean su tiempo, no están

Hoja Inventario Empleada Para Identificar A Sus Ladrones De Tiempo

Cosas para hacer mañana		Qué se hizo realmente
_____	8:00	_____
_____	8:30	_____
_____	9:00	_____
_____	9:30	_____
_____	10:00	_____
_____	10:30	_____
_____	11:00	_____
_____	11:30	_____
	12:00	_____
_____	12:30	_____
_____	1:00	_____
_____	1:30	_____
_____	2:00	_____
_____	2:30	_____
_____	3:00	_____
_____	3:30	_____
_____	4:00	_____
_____	4:30	_____
	5:00	_____

¿Cuánto tiempo se usó de lo planeado?_____ Sin planear _____

¿Qué fue el roba-tiempo que me obligó a romper mi horario? _____

_____

_____

Figura 12. Hoja inventario que tiene por objeto identificar a sus roba-tiempos personales.

dispuestos a hacer el esfuerzo para lograr una mejor distribución de él. El hacer un inventario es una manera eficaz y simple para empezar a mejorar el control del tiempo.

Invierta de 3 a 5 días en preparar un inventario. El líder o dirigente deberá dedicar de 3 a 5 días para averiguar lo que más frecuentemente le roba su tiempo.

Anote las actividades que tendrán lugar al día siguiente. El primer paso en el uso del iventario es anotar las actividades que tendrán lugar al día siguiente en el lado izquierdo de la hoja, bajo el título "lo que planeo hacer mañana." Sea minucioso, apunte todas las actividades. Los apuntes dudosos dificultan el tener la certeza de si hizo lo que se había propuesto hacer.

Por ejemplo, si a las 9 de la mañana tiene una reunión con el vice-presidente de finanzas no apunte solo "cita" en el sitio que corresponde a las 9 de la mañana, ponga con quién es la cita y cuál será el tema de la charla.

Al día siguiente anote las actividades en el orden en que se presenten. Estas se anotan en el lado derecho de la hoja donde dice: "Lo que realmente hice hoy". Aquí, nuevamente conviene ser específico. Los "ladrones de tiempo" con frecuencia se ocultan bajo el disfraz de actividades legítimas. Por lo tanto, tiene importancia todo lo hecho durante ese lapso de tiempo. Esto permite hacer un repaso de las actividades para poder determinar si alguna de ellas puede colocarse entre los "ladrones de tiempo". Añada el tiempo transcurrido según lo tenía planeado.

Al finalizar el día estudie la hoja de inventario para averiguar cuánto tiempo se aprovechó en actividades programadas y cuánto perdió en actividades que no estaban programadas (pero no obstante controlables). Anote las actividades programadas y las no programadas al final de la página.

Manera de tratar el tiempo controlable y el no controlable. Las actividades controlables que hacen que la persona se salga de lo programado deben considerarse como "ladrones de tiempo" y se deben eliminar. No obstante, las que no son posible, como las sesiones de emergencia concertadas por el jefe, deben ser consideradas como parte del trabajo. Aunque hayan sido motivo de que usted se apartara de lo programado, no deben considerarse como ladrones de tiempo.

Cómo Eliminar a los Ladrones de Tiempo

El tratar de eliminar a los ladrones de tiempo puede ser una experiencia frustrante. El perder el tiempo no es algo que sucede porque sí, es algo que nosotros permitimos que suceda. En la mayoría de los casos es el resultado de cultivar malos hábitos en el empleo del tiempo. Por lo tanto, al eliminar a los ladrones de tiempo estamos eliminando realmente los malos hábitos de su empleo. El aspecto más difícil de emplear bien el tiempo es el de eliminar las malas costumbres.

Un hábito se forma por la repetición constante durante un largo período de tiempo y por lo general se convierte en algo inconsciente. Así, cuando son los hábitos los ladrones de tiempo se vuelven difíciles de modificar. No obstante con paciencia y dedicación para aprovechar el tiempo al máximo, el líder o el dirigente pueden volverse expertos en el uso del tiempo.

Desarrolle y mantenga un programa personal de actividades. Esto es una de las maneras más obvias y no obstante uno de los medios más descuidados para controlar el tiempo.

Un dirigente me dijo: "Odio hacer horarios porque se me da mal seguirlo". Un programa personal bien llevado, informa al dirigente de lo que debería estar haciendo. De modo similar un gerente amigo, vice-presidente de una organización cristiana, me decía: "Vivo haciendo horarios como los que tú me dijiste, pero no he encontrado a nadie que quiera llevar a cabo todas estas actividades en mi lugar." Aunque lo decía en broma, sus palabras descubrían la manera de pensar de muchos dirigentes acerca de los horarios de actividad personal.

Procedimiento para crear un horario de actividades semanales

1. Haga una lista de las actividades que piensa llevar a cabo durante la semana próxima. Esta deberá incluir todas las actividades conocidas del dirigente.

2. Indique si la actividad se hará la semana que sigue o en alguna semana en el futuro. Esto no significa que el dirigente lo está retrasando, solo indica que necesita saber con seguridad cuáles son las actividades a realizar durante la próxima semana.

3. Seleccione solo las actividades de la semana entrante y a la vez delegue las que sea posible delegar.

4. Separe las actividades que no puedan ser asignadas a otros. Esta lista representa las que debe hacer el dirigente o líder.

5. Divídalas según su prioridad.

6. Determine cuánto tiempo deberá dedicarse a cada actividad.

7. Delegue las actividades que puedan realizar los empleados, poniendo el tiempo en que deben estar listas.

8. Señale un día concreto en el calendario de la semana próxima, para cada actividad personal, indicando cuánto tiempo dispone para cada una, aunque no sea obligatorio que lo haga.

9. Repáselas al final de la semana, para ver si todos los proyectos se realizaron de acuerdo con lo programado. En caso contrario indique qué fue lo que impidió su realización.

10. Prepare el horario de la semana siguiente repitiendo los pasos del 1 al 9, según hemos explicado.

Una vez que el dirigente cree su programa semanal, puede subdividirlo en horarios diarios. Para obtener mejores resultados, el dirigente deberá llevar su horario consigo en un calendario de bolsillo. Existen algunos buenos, de venta en el mercado y en las tiendas de materiales de oficina.

Aprenda a programar las emergencias y las interrupciones por anticipado. Los dirigentes se desalientan al tratar de mantener un horario debido a las múltiples emergencias e interrupciones inevitables que ocurren. No obstante, la mejor forma de evitar las emergencias es programarlas antes de que sucedan.

El Sr. Ed. Thompson, buen amigo y presidente de una gran organización, tiene una oficina cerca de la mía. Un día me presenté sin previo aviso, a verlo, a la hora del café (iba a convertirme en un ladrón de tiempo, ¿no es así?) Me sorprendí gratamente al enterarme que podía recibirme sin alterar su programa.

Mientras conversábamos le pregunté cómo era posible que pudiera recibirme sin alterar su programa, sin haber concertado una cita. "Es muy sencillo" me respondió sonriendo, "he aprendido a programar las interrupciones como la tuya por anticipado". Cuando le pedí que me diera una explicación de lo que quería decir continuó. "Debido a que las interrupciones inesperadas y las emergencias forman parte de la vida de un directivo, he aprendido a dejar un tiempo, tanto en la mañana como en la tarde, sin programar, para dedicárselo cuando sucedan. En caso de que no haya interrupciones me queda más tiempo para dedicarlo a mis actividades."

Aprendí mucho sobre la distribución del tiempo ese día de boca de mi sabio amigo. Desde entonces he estado empleando su sistema programando las interrupciones por anticipado y descubrí que sí da resultado tal como él me enseñó.

La fig. 13 nos da un ejemplo de cómo el tiempo no programado, lo podemos calcular para hacerle frente a emergencias e interrupciones. Deje un espacio de tiempo libre por la mañana y otro por la tarde para atender los asuntos importantes que surgen inesperadamente. La cantidad de tiempo no programado de que dispongamos dependerá de la clase de actividades a las que el dirigente se dedique. Así, si usted hubiera planeado responder a su correspondencia de las 9 a las 10, pero el jefe concierta una reunión inesperada a esa hora, Ud. puede volver a su horario a medio día empleando el tiempo libre de las 11 a las 12 para atender su correspondencia.

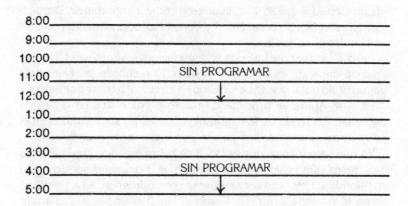

Figura 13. *El tiempo sin programar en el horario diario le permite al dirigente una oportunidad para enfrentar emergencias inesperadas y no salirse, no obstante, de su programa de todo el día.*

Cómo Establecer las Prioridades

El establecer prioridades es una de las tareas más importantes y a la vez difíciles en la distribución del tiempo. En los últimos años mi compañía consultora ha tenido que enseñar a miles de dirigentes a establecer las prioridades con la ayuda de una escala para fijar prioridades, que es uno de los medios más valiosos que existen. (Véase la figura 14).

Paso 1: En la esquina superior izquierda de la escala debajo del título "Lista de prioridades" se anotan los renglones que Ud. tiene que colocar en orden de prioridad.

Paso 2: Compare el No. 1 (trabajar en el presupuesto) con el No. 2 (preparar un informe del equipo) y ponga un círculo al que Ud. considere más importante. Luego compare el No. 1 con el No. 3, y después con el No. 4 y así sucesivamente, poniendo círculos según su importancia.

Continúe de igual manera solamente corriendo una fila hacia la derecha y comparando el No. 2 (preparar el informe del equipo) con el No. 3 fijar la fecha para el viaje y avisar a Bill. Luego compare el No. 2 con el No. 4, y el No. 2 con el No. 5 cada vez rodeándole de un círculo al que en su opinión tenga mayor importancia. Después compare el No. 3 con el No. 4 y con el No. 5, finalmente compare el No. 4 con el No. 5.

Paso 3. Una vez hechas estas comparaciones, súmense el número total de unos, de 2, de 3, con el de 5. El resultado final se anota bajo el título (total que se ha incluído en círculos) tal como se ilustra.

Paso 4. Ahora se procede de nuevo a colocarlos en orden de prioridad. Partiendo de los subtítulos que van a ser incluídos en el programa de trabajo de la siguiente semana, en orden de prioridad.

Ya que se encontró que el No. 3 se había incluído en un círculo más veces que cualquier otro número, el 3 ocupa el puesto de 1° en prioridad. Entonces la cita y la visita con Bill tienen la 1a. prioridad como lo muestra la fig. 15. Como el No. 5 ocupó el 2° lugar con tres inclusiones dentro de círculos, tiene la 2a. prioridad.

Esta escala de prioridades tiene diversos usos. Sin embargo no tiene interés calcular una serie de datos en la escala de prioridades si cuando ya están listos, no se toman en cuenta los resultados.

Escala de Prioridades

Lista de las cosas que deben ponerse en orden de prioridad

Total de Nos. encerrados

1. Trabajar en el presupuesto

   $\underline{2}$ 1s

2. Hacer el informe del equipo   ① 2

   $\underline{0}$ 2s

3. Programar viaje y encuentro con Bill   1   2   ③③

   $\underline{4}$ 3s

4. Trabajar con la secretaria en la organización del archivo   ① 2 ③   4 ④ 4

   $\underline{1}$ 4s

5. Revisar el trabajo de Mary en cuanto a su evaluación   1 2 ③ 4   ⑤⑤ 5 ⑤

   $\underline{3}$ 5s

6.   1 2 3 4 5   6 6 6 6 6

   _____ 6s

7.   1 2 3 4 5 6   7 7 7 7 7 7

   _____ 7s

8.   1 2 3 4 5 6 7   8 8 8 8 8 8 8

   _____ 8s

9.   1 2 3 4 5 6 7 8   9 9 9 9 9 9 9 9

   _____ 9s

10.   1 2 3 4 5 6 7 8 9   10 10 10 10 10 10 10 10 10

   _____ 10s

Figura 14. La Escala de Prioridades es uno de los medios más valiosos para establecer las prioridades.

Orden de prioridades basadas en número incluído en un círculo

1. Viaje y cita con Bill
2. Revisar el expediente de Mary para juzgar su rendimiento
3. Trabajar en el presupuesto
4. Trabajar con la Secretaria, estudiando nuevo sistema del archivo
5. Preparar el informe acerca del equipo
6.
7.
8.
9.
10.

Figura 15. *Lista de prioridades elaborada siguiendo la escala de las mismas.*

Hace poco invertimos todo un día en enseñar a los directivos de una empresa a emplear la escala de prioridades para calcular el proceso de planeamiento. Al final del día habían logrado señalar 8 diferentes prioridades. Su preocupación principal era el desarollo de la productividad y la expansión de su edificio era su No. 8. A los 6 meses, tuvimos que volver a la empresa para una consulta y nos enteramos que estaban colocando los cimientos para un nuevo edificio, pero aún no habían comenzado su prioridad No. 1 que era: cómo ampliar la productividad.

Esta compañía no se benefició por haber identificado sus prioridades porque dejaron que los sentimientos interfiriesen con las realidades. La Escala de Prioridades está diseñada para disminuir el impacto ernotivo cuando se fijan las prioridades. Por lo tanto, es una pérdida de tiempo hacer la Escala de Prioridad y enseguida permitir que las emociones sean las que dicten sus movimientos.

Evite la Trampa del Exceso de Actividad

Hay una gran diferencia entre actividad y llevar a cabo un trabajo. Un anciano le decía al vecino: "Hoy he trabajado una burrada"

¿Logró hacer algo? le preguntó el vecino. "No", respondió el anciano, "solamente trabajé mucho."

Me temo que somos muchos los que trabajamos duro pero al final del día o de la semana encontramos que no hemos logrado mucho, sino poco.

Muchos de los líderes o dirigentes se asemejan al anciano, trabajan mucho, pero al final no logran hacer casi nada. Parte de la causa puede atribuirse a la "trampa del exceso de actividad" que consiste en que las personas se ven envueltas en muchas ocupaciones que no las conducen a lograr un objetivo o meta precisa.

La Biblia nos relata la historia de un servidor a quien se encargó la vigilancia de un prisionero durante una batalla. El prisionero escapó y cuando el sirviente explicó el motivo de la fuga dijo: "Mientras yo estaba ocupado en otra cosa, el prisionero desapareció" (1 Reyes 20:40)

Observe que el siervo estaba ocupado. Estaba realizando muchas actividades, pero no logro su objetivo, que era el de vigilar al prisionero. De hecho fue el exceso de actividades lo que hizo que el sirviente fracasase.

Como en el caso del sirviente, muchos líderes cristianos trabajan desde el amanecer hasta el anochecer, pero sin jamás lograr terminar las cosas de importancia.

El presidente de una organización misionera, me dijo hace poco "Si pudiéramos alcanzar a todo el mundo por medio de nuestras reuniones, ya hace mucho que todos serían cristianos" continuó diciendo: "Trabajamos tanto que no avanzamos en nuestro trabajo".

Hay principios importantes acerca del empleo del tiempo en el relato de Lucas 10:38-43. Marta trabajaba duro. Siempre ocupada en servir a Jesús y a los demás huéspedes que llegaban a su casa. Sin embargo, su hermana María, al reconocer la gran oportunidad de aprovechar las enseñanzas de Jesús, abandonando sus trabajos domésticos se unía a los que escuchaban sus palabras. Marta se enojó ante la falta de María en no cumplir con su trabajo y se quejó a Jesús diciéndole: "Señor, ¿no crees que es injusto que mi hermana esté allí sentada mientras yo me mato trabajando? Dile que venga a ayudarme. "Marta" le respondió el Señor, "te preocupas demasiado por estas cosas. Sólo existe una cosa digna de preocupación y María la ha descubierto. No seré yo el que se la quite". Marta había caído en una trampa de actividad. Se sentía enloquecer por todos los preparativos que había que hacer (Ver. 40). Esto lo reconoció Jesús cuando le habló (vv. 41-42).

¿Qué principios sobre el uso del tiempo son aparentes en este pasaje? Marta se hallaba tan ocupada que pasó por alto las cosas importantes, la ocasión de aprender de los labios de Jesús. Como Marta, las personas que se dejan arrastrar por sus quehaceres caen en una trampa de exceso de actividad, pierden de vista las cosas importantes y se lanzan a un torbellino de acción, movimiento y trabajo; pensando que hacen una labor muy importante.

En segundo lugar Marta perdió de vista que se había alejado de la meta, habiéndose "distraído por todos los preparativos". Este constituye un patrón frecuente para los que caen en la trampa de exceso de actividad. Una vez perdida de vista la meta, nuestros esfuerzos van dirigidos a la actividad misma y ésta se convierte en nuestra meta.

En tercer lugar, Marta criticó la actitud de su hermana María, por no estar tan ocupada como ella. Las personas que se sienten presas de ese exceso de actividad se engañan con frecuencia pensando que están produciendo más que las demás por estar más ocupadas. Se quejan también de la inercia de las demás.

En cuarto lugar, Jesús observó que el ritmo furioso de trabajo de Marta era causa de tensión interior. Esto constituye la última etapa de la "trampa de exceso de actividad". El exceso de actividades produce presión y tensión, lo que a la vez estimula a mayor actividad.

Los asesores que se ocupan de la distribución del tiempo afirman que el 80% de los resultados se obtienen del 20% del esfuerzo. Esto significa que el 80% de nuestro esfuerzo solo añade un 20% al resultado. Para evitar la "trampa del exceso de actividad", debemos tratar de eliminar todas las actividades ajenas a la meta. El seguir las reglas siguientes nos ayudará.

1. Evite dedicarse a varios proyectos pequeños a la vez.
2. Termine un proyecto antes de empezar otro.
3. Coloque sus proyectos y trabajos en orden de prioridades y comience por los más importantes.

4. Aprenda a fijarse en las fechas límites para todos sus proyectos y esfuércese por cumplirlas.
5. Concéntrese en lograr resultados.

Cómo se Logra Mantener el Programa

El organizar por orden de importancia es trabajo difícil y lleva mucho tiempo: por esta razón es preciso llevar a cabo el programa una vez formulado.

Para poder cumplir se necesita:

Primero: Fijar las prioridades y cerciorarse que han sido comunicadas.

Segundo: Aprender a rechazar lo que no contribuye al adelanto de las prioridades.

Tercero: Oblíguese a dedicar mucha atención al manejo efectivo del tiempo.

Fije sus prioridades y cerciórese de que han sido comunicadas. Las prioridades no definidas, son la causa de la mayor pérdida de tiempo y de la necesidad de interrumpir los programas. Sin tener prioridades, las personas caen con facilidad en la trampa del exceso de actividad, dedicando todo su tiempo a actividades que no contribuyen al adelanto de la meta final.

Un dirigente me dijo: "Ya lo creo que tenemos prioridades, lo que nos pasa es que cambian cada 15 minutos" después continuó "Hace algunos días me llamó el jefe para informarme de un proyecto "urgente" que tenía que terminarse antes de que transcurriera el día. Pasada media hora me volvió a llamar para decirme que detuviera el proyecto urgente y que empezara con otro" continuó diciéndome: "Con esta clase de llamadas es fácil darse cuenta que en realidad las prioridades no están muy claras". He oído historias similares de empleados frustrados, que desconocen las prioridades de su compañía. Como resultado, pasan de una labor a la otra, reaccionando ante sucesos que realmente no tienen ninguna relación con sus verdaderas prioridades.

Aprenda a rechazar lo que no contribuye al adelanto de las prioridades. Con el objeto de implantar un programa y lograr mantener las prioridades, el dirigente cristiano debe ser firme en rechazar muchas solicitudes de causas que valen la pena. Por regla general, cuanto más urgente la prioridad más frecuente será que tengamos que rechazarla.

A Jesús le llovían las solicitudes para usar su tiempo. Sin embargo, a fin de cumplir las órdenes de Su Padre, se veía obligado a rechazar algunas actividades. Un ejemplo clásico nos lo da Marcos 1: 32-38. "Al atardecer el patio de la casa de llenó de enfermos, de endemoniados que la gente llevó para que Jesús los sanara... A la mañana siguiente Jesús se levantó y se fue a solas a orar. Los discípulos lo buscaron y le dijeron: 'la gente te anda buscando', Jesús les respondió: Sí, pero tengo que visitar otras aldeas para predicar el mensaje. Para eso vine."

Jesús jamás descuidó sus prioridades. Cuando las presiones sobre su tiempo amenazaban con interferir con la voluntad de Su Padre, no tardó en negarse a sus demandas. Sin duda había muchas necesidades insatisfechas en la ciudad. Sin embargo Jesús se dio cuenta que si cedía a todas las solicitudes del uso de su tiempo le hubiera sido imposible visitar otras comunidades que necesitaban Su ministerio.

Hay muy buenas actividades que merecen ser atendidas por alguien, pero el líder cristiano debe darse cuenta de que no puede atender a todas las necesidades de toda la gente todo el tiempo.

Debe fijarse prioridades y negarse con el fin de poder hacer las cosas importantes que Dios le tiene destinadas.

Oblíguese a mantener un alto nivel de dedicación al empleo efectivo de su tiempo. El manejo efectivo del tiempo es un trabajo arduo. Implica, por regla general, apartarse de los hábitos malos y **sustituirlos por buenos.**

La mayoría de los dirigentes se hacen un programa diario y semanal, pero solo los que se esfuerzan por mantener su programa lo cumplen. El dirigente debe recordar que su obligación no es para con el programa sino para lograr los objetivos de importancia que han sido fijados de antemano por él. El horario es solamente un medio de alcanzar el fin.

La Importancia de Hacer Enfasis en la Distribución del Tiempo

Nadie reconoció más el valor de emplear el tiempo con sabiduría que Jesucristo. Sabía que tenía solo 3 años para adiestrar a sus discípulos en realizar Su obra de llevar el Evangelio al mundo entero. Les dijo una vez: "Debemos realizar con prontitud las tareas que nos señaló el que me envió porque ya falta poco para que la noche caiga y nadie pueda trabajar." (Juan 9:4)

Jesús nunca perdió de vista su meta. Trabajaba con diligencia para asegurar el mejor empleo de Su tiempo. Por lo cual pudo decirle al Padre: "Yo te he enaltecido en este mundo, haciendo todas y cada una de las cosas que me ordenaste." (Juan 17:4)

Por desgracia, muchos dirigentes modernos no conceden la misma importancia al factor tiempo que el que le dio Jesús. De hecho hay una apatía con respecto al tiempo perdido, y constituye una de las enfermedades más graves que invaden a las organizaciones de nuestra nación.

En un estudio efectuado por Robert Half, asesor de personal de oficinas, encontró que en 1980 el empleado promedio de los EE. UU. le robaba 4 horas y 5 minutos semanales a su empresa, con un costo anual de 98 billones de dólares (U.S. News and World Report) Feb. 23, 1981.

El Sr. Half hizo notar que la jefatura es tan responsable de esto, como los empleados y terminó diciendo: "el problema es tan serio, que todo ejecutivo debería buscar la manera de pensar más en serio en cómo combatirlo en su propia organización."

El dirigente cristiano debe tomar la iniciativa para enfatizar la importancia de la distribución del tiempo, siendo un ejemplo para sus trabajadores y empleados, estimulándoles a seguir la actitud de Jesús: "Porque ya falta poco para que la noche caiga y nadie pueda trabajar" (Juan 9:4).

Obrando en el Momento Oportuno

Para el dirigente, el gerente y el hombre de negocios cristiano, la manera en que Dios hace acontecer las cosas ocupa un lugar primordial en la distribución del tiempo. Dios no solamente tiene un plan para el líder cristiano, sino un momento preciso en el cual el plan debe realizarse. "A su tiempo juzgará Dios cuanto hace el hombre": lo bueno y lo malo" (Eclesiastés 3: 17)

Durante todo Su ministerio, Jesús estuvo consciente de la importancia que tenía hacer las cosas de acuerdo con el tiempo establecido por Dios. El decidió y actuó conforme el tiempo divino (Lucas 9:51; Juan 2:4).

Al final de Su ministerio El le dijo a sus discípulos: "Vayan a casa de quien ya saben en la ciudad, y díganle que mi tiempo está cerca y que deseo celebrar en su casa la Pascua con mis discípulos" (Mateo 26: 18)

En el jardín de Getsemaní, Jesús dijo a sus discípulos: "Duerman, descansen... pero no, ha llegado la hora. Me van a entregar en manos de los pecadores. Levántense, vamos. El traidor se acerca. (Mateo 26:45)

Un líder dispuesto a realizar la Voluntad de Dios y a que se manifieste a través de él, deberá ser sensible a la hora en que Dios dispone. El empleo eficaz del tiempo consiste en hacer lo que Dios quiere en el momento en que El quiere que se haga.

Resumen del Capítulo

La Biblia estimula al dirigente cristiano a que aproveche su tiempo al máximo. El tiempo constituye nuestro recurso de más valor. No se puede economizar ni guardar, solamente podemos emplearlo. El tiempo es el paso de la vida. Por consiguiente, la persona que tiene problemas con su tiempo, en realidad tiene problemas con el enfoque de su vida.

Con el objeto de que usted emplee su tiempo con más provecho, empiece por descubrir lo que le roba el tiempo, si es una actividad controlable que impide o retarda sus esfuerzos para llevar a cabo un trabajo serio. La mayor parte de ellas son fáciles de descubrir, haciendo una hoja de inventario del tiempo durante 3 a 5 días consecutivos.

Todo líder debe llevar una hoja programada diaria o semanal con sus prioridades anotadas. Esta es una de las mejores maneras de evitar caer en una "trampa de exceso de actividad" y ser víctima de lo que nos roba el tiempo. Cuando anoten los programas debe asegurarse de que las prioridades más importantes sean las anotadas primero.

La escala de prioridades constituye un medio o implemento muy útil para anotar las prioridades y debe emplearse con regularidad para determinar qué actividades deben tener prioridad. Las prioridades anotadas ayudan a que el dirigente se mantenga dentro de su programa, facilitándole el negarse a aceptar las solicitudes que tienden a llevarlo a una "trampa por exceso de actividad".

Para el dirigente cristiano el momento que Dios escoge tiene un papel preponderante en la distribución del tiempo. La Biblia nos dice que Dios tiene Su horario propio. Jesús lo reconoció y se esforzó para que Sus decisiones y actividades coincidieran con el Horario de Dios. Por lo tanto, el dirigente cristiano debe pedir la orientación de Dios con respecto a cuándo se debe emprender un proyecto y al empleo sabio del tiempo de que dispone.

Aplicación Personal

1. Emplee hojas para el control de su tiempo para averiguar lo que le roba el tiempo.

2. Siga los pasos indicados en este capítulo para hacer un Horario o programa diario o semanal. Emplee la Escala de Prioridades con regularidad para determinar sus prioridades personales.

3. Enseñe a los que están en su organización el empleo de la Escala de Prioridades y estimule a los demás para que hagan énfasis en el control del tiempo.

4. Cuando planee horarios averigüe lo que Dios desea antes de llevar a cabo la actividad.

11
Las Actitudes
y el Rendimiento

Al finalizar un seminario un joven me dijo: "Yo no creo que estos principios van a dar resultado en el departamento en el cual trabajo". "Tiene razón" le respondí, "probablemente no resultarán". Me miró intrigado y me dijo: "Pero usted nos acaba de decir que servirían en cualquier organización. Ahora se contradice". Era evidente que estaba molesto conmigo. Así que le expliqué: "No, no me contradigo, probablemente no van a servir porque tú piensas que no van a servir. Por lo tanto, no vas a hacer el esfuerzo necesario para que den resultado.

Nuestras Actitudes Tienen una Influencia Grande Sobre Nuestros Actos.

La Biblia dice: "El espejo refleja el rostro del hombre, pero su verdadero carácter se demuestra por los amigos que escoge" (Prov. 27: 19), en Prov. 23: 7 se nos dice: "Porque cual es su pensamiento en su corazón, tal es él" (Versión 1977) Estos versículos sugieren la enorme influencia que nuestra manera de pensar ejerce sobre nuestros actos.

La actitud del dirigente cristiano tiene una influencia muy grande sobre lo que logra o hace. Cuando una persona piensa que algo es imposible, por regla general, no se molesta en hacerlo posible. Así el modo de pensar se vuelve una profecía que se cumple por sí misma.

Uno de los mejores ejemplos de la influencia que el pensamiento ejerce sobre la acción, lo encontramos en Números 13. Moisés envió 12 espías para informarse de cómo era el país, el tamaño, la fuerza defensiva de las ciudades y el tipo de cosechas que cultivaban. (v. 17-20). Moisés no preguntó si había posibilidad de invadir las tierras. La misión que tenían era la de informar cuáles eran las condiciones prevalecientes en caso de que hubiera una invasión.

Los espías pasaron 40 días en estas tierras y volvieron con un brillante informe sobre la fertilidad y la abundancia de la cosecha que crecía en ella. Comenzaron diciendo: "Llegamos a la tierra que ustedes nos enviaron a explorar, y encontramos que es una tierra excelente de la que realmente fluye leche y miel." (Números 13-27).

A pesar de ello, la mayoría de los espías se ocuparon del poderío militar de los habitantes, "el pueblo que vive en ella es poderoso, sus ciudades están fortificadas y son grandes y lo que es peor, hemos visto gigantes descendientes de Anac en aquellos lugares" (v. 28). Cuanto más énfasis hacían en los aspectos negativos, más negativos se volvían, al fín 10 de los 12 espías dijeron: "No podremos luchar contra un pueblo tan poderoso" (v.31). Concluyeron diciendo: "La tierra está llena de guerreros, los pueblos que la habitan son poderosos (v. 32). Cuanto más hablaban y escuchaban sus propios pensamientos negativos, más se convencían de que no era posible invadir las tierras. Ellos dijeron: "Eran tan grandes que parecíamos langostas al lado de ellos (v. 33).

Los pensamientos negativos generan siempre ideas y conclusiones negativas. Como pensaban que eran como langostas a los ojos del enemigo, los espías imaginaron que el enemigo también los veía como langostas. Sin embargo, el libro de Josué nos demuestra que era una falsa suposición, resultado de la forma negativa de pensar de los espías.

El informe negativo de los espías corrió como la pólvora entre el pueblo de Israel y se lamentaron durante toda la noche diciendo: "Preferiríamos haber muerto en Egipto, se quejaban, o aun aquí en el desierto, antes que entrar a ese país que tenemos ante nosotros. Jehová permitirá que nos maten allí y nuestras esposas e hijos serán esclavos. Regresemos a Egipto. (Números 14: 2-3).

Las actitudes negativas son contagiosas en grado sumo, no tardó mucho en extenderse entre el pueblo los pensamientos negativos de los espías y toda la nación se contagió.

Una generación entera de pensadores negativos vagó sin rumbo durante 38 años por el desierto hasta que murieron todos. Nunca se apoderaron de la tierra prometida por Dios por pensar que no lo conseguirían.

Cuando esa generación fue reemplazada por sus hijos, bajo el liderazgo de Josué, llegaron nuevamente a las márgenes del Jordán. Contemplaron la ribera opuesta donde estaba la tierra prometida por Dios a sus padres años atrás.

De nuevo enviaron a los espías que llegaron a Jericó y pasaron la noche en casa de una prostituta que se llamaba Rahab. Rahab reconoció a los espías y supo que eran israelitas por las ropas que llevaban. Les contó que los habitantes de la ciudad estaban aterrorizados de ellos por la manera en que Dios los protegía. Ella dijo: "Hemos sabido lo que Jehová hizo por ustedes al cruzar el Mar Rojo cuando salieron de Egipto y sabemos lo que ustedes hicieron a Sehón y a Og, los dos reyes amorreos que habitaban al otro lado del Jordán y cómo asolaron la tierra de ellos y destruyeron completamente sus pueblos. Esta noticia nos ha asustado. Nadie ha quedado con ánimo de pelear contra ustedes después de oír estas cosas, porque su Dios es el Dios supremo del cielo, no un dios ordinario" Josué (2: 10-11) Recuerde que estas gentes de Jericó que ahora se muestran tan temerosos de Israel son hijos de aquellos que hace una generación se habían enterado de Israel y de la grandeza de su Dios por primera vez. Piense en el terror que debió haberse apoderado de sus padres entonces, e intente imaginar cómo los pensamientos negativos de los israelitas, les hizo sentir que se asemejaban a las langostas y a retirarse de la tierra prometida, lo cual les obligó a vagar en el desierto por el resto de su vida hasta que la totalidad de esa generación de pensadores negativos murió.

La nueva generación de espías llevó el informe de Rahab a Josué y al pueblo de Israel: "Jehová ciertamente nos dará toda la tierra, dijeron, porque el pueblo está muerto de miedo a causa de nosotros." (Josué 2:24).

En este informe los espías mantuvieron una actitud positiva y dieron un informe positivo. Dios no había cambiado, sino que les había dado la tierra, y a los pocos días habían tomado la ciudad de Jericó.

¿En qué difería esta generación de israelitas de la de sus padres? Dios no había cambiado. El había dado la tierra al pueblo 38 años antes, no obstante su pensamiento negativo los hizo huir en vez de apoderarse de la tierra. La diferencia estuvo en la actitud.

Un Relato de Dos Actitudes

El dirigente cristiano debe tener presente que el poder del pensamiento negativo, es tan poderoso como el del pensamiento positivo. El pensamiento negativo es uno de los medios más efectivos de los que se vale Satanás. Si te puede obligar a pensar de forma negativa y adoptar actitudes negativas, sabe que tus actos serán también negativos, debilitándote a ti y a tu organización.

Dos amigos míos, llamémosles Dave y Harry, son presidentes de organizaciones cristianas. Dave es jefe de una gran empresa, muy progresiva, de tipo misionero, cuya meta es la de alcanzar a todo el mundo con el mensaje de Jesucristo mediante el empleo de todos los recursos de las comunicaciones modernas. Hace poco me dijo: "Mi trabajo consiste en aprender a pensar de forma grande como piensa Dios, y Dios piensa en cada una de las personas en todos los países."

Al hablar continuó diciendo: "Vivimos en tiempos cargados de emociones. Dios nos está permitiendo ampliar nuestro ministerio mediante el empleo de la tecnología moderna." Continuó describiendo proyectos para hacer llegar el Evangelio a todas las grandes ciudades del mundo, por medio de un satélite de comunicaciones. Me explicó cómo pensaban ampliar sus edificios y añadir más personal a su misión.

Durante el tiempo que estuve con la organización de Dave tuve ocasión de hablar con miembros de su personal y comprobar el entusiasmo que les guiaba por las grandes cosas que Dios estaba haciendo por medio de su organización.

. Al comentar con uno de sus encargados lo emocionados y motivados que estaban, me dijo: "David nos ha ayudado a comprender la grandeza y el poder de Dios, que quiere llevar el Evangelio literalmente a todas las personas, de modo que no tememos confiar en Dios para lograr grandes cosas.

Días después hablaba con mi amigo Harry, presidente también de una obra misionera. Durante una de nuestras discusiones me dijo: "Sabes, Myron, vivimos en tiempos desesperantes y difíciles. Cada día resulta más difícil hacer llegar el Evangelio a ciertos países. La inflación nos hace penoso el sostener y enviar misioneros al campo de misión." Me explicó como su organización estaba tratando de limitar algunos de sus objetivos y proyectos en un esfuerzo por economizar.

Al hablar no pude evitar notar la diferencia en el tono y en la actitud entre él y Dave. Le pregunté a algunos del personal de Harry cuál era su impresión acerca del futuro de su organización. Uno de ellos resumió la opinión de los demás al decirme: "Debemos aprender a apretarnos el cinturón y recortar algunos de nuestros planes a largo plazo, ya que no podemos enviar y sostener tantos misioneros como en un principio."

Al despedirme del grupo de Harry, recordé a los diez espías de Moisés y la gran diferencia que existía en la actitud de los dos espías enviados por Josué. Me dí cuenta de que también se podía comparar con la organización de Dave y la de Harry. La una mantenía una actitud positiva, al pensar que Dios podía cubrir todas las necesidades y la otra dependía más de las circunstancias, en vez de confiar en Dios y concluían que no podían llegar a las metas que se habían fijado.

Como dijo un ejecutivo de una organización cristiana recientemente: "No me explico cómo una (organización cristiana) puede obtener de uno de sus donantes siete millones de dólares como regalo, cuando nosotros nos esforzamos por conseguir sólo siete mil. Me sonreí y le contesté: "Puede ser que usted no tenga suficiente fe en Dios como para un proyecto de siete millones."

Inclinó la cabeza con tristeza y replicó: "Puede que tenga usted razón. Nuestro presupuesto total no llega a los siete millones."

La mente humana es nuestro campo de batalla más importante porque nuestros pensamientos y actitudes influyen grandemente en nuestros actos. Por lo tanto, Satanás trabaja sin cesar para obligarnos a pensar de manera negativa, a dudar de Dios y a confiar en nuestros sentimientos en lugar de hacerlo en la Palabra de Dios.

Dios también desea el control de nuestras mentes. Así Pablo nos exhorta: "Renueven sus actitudes y pensamientos. Sí, revístanse de la nueva naturaleza, sean diferentes, santos y buenos." (Efe. 4: 23-24)

El Tamaño de su Meta Refleja el Tamaño de su Dios

El "poder del pensamiento positivo" promueve el concepto que con solo pensar positivamente un individuo puede transformar sus deseos en realidades. A pesar de que nuestras actitudes influencian grandemente nuestros actos, no nos debemos dejar engañar creyendo que nuestro poder mental basta para llevar a cabo todos nuestros planes, que es la filosofía de muchos de los que sostienen a ultranza el poder del pensamiento positivo.

Dios nos demuestra claramente que el hombre, abandonado a sí mismo carece del poder para hacerle frente a muchas de las circunstancias que le rodean." El Señor dice: "Maldito el hombre que ponga su confianza en el hombre mortal y desvía de Dios su corazón. Es como raquítico arbusto del desierto, sin esperanza para el futuro: vegeta en planicie salitrosa de inhóspito desierto: la prosperidad lo dejó a un lado para siempre." (Jer. 17: 5-6)

Este pasaje ilustra claramente lo insensato que es confiar únicamente en los recursos humanos y en el ingenio del hombre para resolver problemas y alcanzar nuestras propias metas.

Sin embargo, el mismo pasaje continúa así: "Pero bienaventurado el hombre que confía en el Señor y en el Señor ha puesto su esperanza y fe, es como árbol plantado a orillas de un río, cuyas raíces penetran hasta encontrar el agua: árbol que no agobia el calor ni angustian los largos meses de sequía. Su follaje se mantiene verde y produce en todo tiempo jugosos frutos. (v. 7 y 8). (Jer. 17: 8).

¡Qué contraste más claro entre la persona que confía en sí misma y el que únicamente confía en Dios. El poder del pensamiento positivo se concentra en el ingenio humano, mientras que el poder del pensamiento divino tiene a Dios como el recurso total y único.

Por lo tanto, la actitud positiva del dirigente cristiano debe tener su origen en el pensamiento divino, en reconocer que Dios constituye el recurso total y único para alcanzar la meta o proyecto. ¿Qué parte del poder divino está a la disposición del líder cristiano? "Y ahora, gloria sea a Dios, quien por el formidable poder que actúa en nosotros puede bendecirnos infinitamente más allá de nuestras más sentidas oraciones, deseos, pensamientos y esperanzas." (Efe. 3:20)

¡Qué descripción del enorme poder de Dios a nuestra disposición! Somos incapaces de tener pensamientos suficientemente grandes o de hacer plegarias suficientemente grandiosas como para aprovechar y abarcar todo el poder de Dios, que debiera ser la fuente del pensamiento positivo del líder cristiano.

Muéstrenme a una persona con metas pequeñas y les enseñaré a una persona cuyo Dios es pequeño. El tamaño de nuestras metas es el reflejo del tamaño de nuestro Dios. Por ejemplo: un amigo comenzó un campamento cristiano en las Montañas Rocosas de Colorado. El panorama era bellísimo, con elevados y nevados picos, maravillosas praderas y un claro riachuelo de aguas frescas, que se deslizaba al pie de los altos pinos verdes. Un día visité el campamento de mi amigo y me llevé el gran chasco de mi vida. Cuando caminábamos por el campamento, nos detuvimos frente a una fila de casas-remolque viejas, oxidadas y gastadas y mi amigo dijo: "Escucha Myron, he aquí una respuesta a mi oración." Explicó que le había pedido a Dios unas casas-remolques usadas para convertirlas en dormitorios y varias personas habían donado aquellas para que los huéspedes del campamento las utilizasen.

Más allá, en nuestro paseo, encontramos una caseta, tipo Quonset, muy dilapidada, de las de la Segunda Guerra Mundial, que se empleaba como comedor y capilla. De nuevo nos detuvimos para admirar otra respuesta a una oración.

"Sabes" me dijo, "le dije a Dios que con seguridad alguien tendría un edificio que podría donar al campamento y helo ahí. Justo lo que necesitábamos como sala de reunión."

Al final del paseo me enseñaron varios vehículos muy antiguos y un camión de basura viejo.

"Le dije a Dios que debía de haber un camión que no usase nadie y que me lo donaran y vino un contratista y nos lo regaló."

Al ver todas estas donaciones, me pasó por la mente: "¿Estará realmente tan pobre Dios? Ciertamente no se ajustaba a la descripción de un Dios "capaz de hacer lo que no nos atreveríamos ni a pedir." Sin embargo, mi amigo dijo: "¿No es grande Dios? Todo esto estaba en la lista de lo que había pedido en oración y Dios me ha concedido todas las cosas."

Entonces recordé el pasaje de Marcos: "Oigan bien. Oren por cualquier cosa y si creen recibirán. Seguro que la recibirán" (11:24).

Dios puede darnos más de lo que somos capaces de pensar o de pedir. Sin embargo, debemos pedir, lo que mencionamos es lo que recibiremos.

El concepto en que tengamos a Dios determinará lo que le pidamos y creamos que El nos concederá. El dueño del campamento creía que Dios le daría artículos de segunda mano, eso fue lo que pidió y eso fue lo que recibió. Sin embargo, Dave, el presidente de la organización misionera tenía una visión de Dios como proveedor de millones de dólares para la predicación del Evangelio, para proveer nuevos edificios y ampliar su personal. ¿Cuál es la diferencia? Parte de la diferencia radica en el concepto que tengamos de Dios y lo que él hará. Su concepto acerca de Dios y sus actitudes influenciaban lo que ellos le deseaban pedir y confiar en lo que Dios les proveería. En otras palabras el tamaño de su Dios se reflejaba en el tamaño de sus aspiraciones.

Si quieres saber cuál es el tamaño de tu Dios, observa el tamaño de tus metas y lo que le pides a Dios que haga. Nunca le pedimos a Dios más de lo que pensamos que es capaz de resolver y proveer.

Pablo no fue un gran misionero por ser un gran hombre, fue un gran misionero porque tenía un Dios grande. Compartió el secreto de una vida venturosa cuando les dijo a los habitantes de Efeso que Dios ponía su gran poder al alcance de su pueblo para que lograran grandes cosas, superiores a las que podían pedir o imaginar. El concebir la grandeza de Dios nos ayuda a ensanchar nuestros propios pensamientos y planes concernientes a lo que El desea llevar a cabo por medio de nosotros.

La Biblia nos Ordena Pensar Positivamente

Leemos en Filipenses 4:8: "Y ahora, hermanos antes de terminar esta carta deseo decirles algo más: centren ustedes el pensamiento en lo que es verdadero, noble y justo. Piensen en lo que es puro, amable y honorable, y en las virtudes de los demás. Piensen todo aquello por lo cual pueden alabar a Dios y estar contentos." Este versículo enfatiza que debemos llenar nuestras mentes de pensamientos positivos.

La mente es como una computadora, almacena y devuelve la información. Como lo muestra la fig. 16, nuestra mente se divide en dos partes: el consciente y el subconsciente. Los sucesos "a" y "b" penetran en la parte consciente de nuestra mente, donde la evaluación determina si son positivos o negativos. Entonces el suceso queda archivado en la parte subconsciente de la mente, como un acontecimiento positivo o negativo, que puede ser enviado al consciente cuando se necesite. Por lo tanto, las actitudes adoptadas durante los hechos ya pasados, ejercen una influencia grande sobre los actos que se llevan a cabo en el futuro.

Por ejemplo, si un empleado adopta una actitud negativa al pensar que su jefe no está interesado en sus ideas, esta actitud queda archivada en el subconsciente. Cuando el jefe más tarde pide ideas el subconsciente del empleado envía a la mente el mensaje: "el jefe

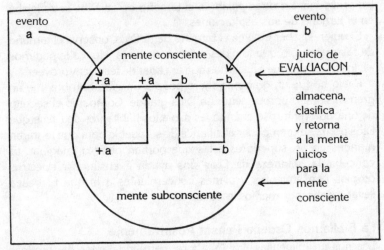

Figura 16. *La mente tiene 2 partes: La parte consciente y la subconsciente. La porción consciente juzga los valores con respecto a lo negativo y a lo positivo y almacena la información en la porción subconsciente en donde se puede volver a traer si es necesario.*

no está interesado en mis ideas en realidad." Como resultado se guardará su opinión.

El pensar negativamente desalienta la acción y ahuyenta las ideas innovadoras, por eso es por lo que las Escrituras nos aconsejan pensar en las cosas que son verdaderas, rectas, nobles, puras, hermosas, admirables y dignas de buen nombre. Todas ellas son de carácter positivo y tienden a promover futuras innovaciones y acciones positivas.

Claves para Mantener una Actitud Mental Positiva

Concéntrese en Dios en vez de en sí mismo: En el relato de Números 13, la mayoría de los espías dependieron de sus propios recursos en vez de depender de los de Dios. Por lo tanto, sus pensamientos fueron negativos. Por otro lado, en el relato de Josué 2, los espías dijeron: "El Señor ciertamente nos dará toda esta tierra." (v. 24). Esta actitud positiva produjo acciones positivas.

Muchos años después, en los tiempos del rey Saúl, el ejército de Israel se enfrentó con un gigante que medía más de nueve pies de estatura. Cuando los israelitas contemplaron a aquel hombre todos huyeron despavoridos (1 Sam. 17-24). Compararon sus fuerzas individualmente con las de Goliat y, como resultado, sus pensamientos fueron negativos y se dejaron dominar por el pánico. Sin embargo, David, el joven pastor, dijo: "¿Quién es este filisteo, pagano, que se le permite que desafíe a los ejércitos del Dios vivo?" (v.26)

David comparó a Goliat con Dios y llegó a la conclusión de que el gigante no era un campeón digno para oponerse al Creador del universo. La confianza que David depositó en el Señor le permitió mantener una actitud positiva en su enfrentamiento con Goliat. Le dijo: "Tú vienes a mí con espada y lanza, pero yo voy a ti en el nombre de Jehová de los ejércitos del cielo y de Israel, el Dios verdadero a quien tú has desafiado. Hoy Jehová te vencerá y yo te mataré y te cortaré la cabeza." (v. 45-56). La confianza de David en Dios le permitió mantener una actitud mental positiva, a pesar de enfrentarse con un hombre de nueve pies de estatura, que intentaba matarle.

Muchos líderes, dirigentes y hombres de negocios permiten que su actitud la controle las circunstancias. La mujer de un negociante me dijo una vez: "La actitud de mi marido depende de la bolsa de valores, cuando las acciones suben está de buen humor, si bajan está de mal humor." En contraste Pablo escribió: "Sé cómo vivir en escasez y en abundancia. He aprendido a estar satisfecho en cualquier circunstancia, con el estómago lleno o vacío, en abundancia o en necesidad. Con la ayuda de Cristo que me da fortaleza y poder, puedo realizar cualquier cosa que Dios me pida realizar." (Fil.4:12-13). Pablo aprendió que la clave para una actitud positiva era poner la mira en Dios en toda situación y no en sí mismo o las circunstancias. La bolsa de valores puede subir o bajar, pero Dios no cambia. Sus promesas son constantes y verdaderas y proveen seguridad en toda situación.

Mire al futuro, no al pasado. Un estudio de la vida de Pablo revela numerosos principios en cuanto a cómo mantener una actitud positiva y optimista en la vida. Uno de estos principios es mirar al futuro con expectativa. "...pero eso sí, olvidando el pasado y con la mirada fija en lo que está por delante, me esfuerzo hasta lo último por llegar a la meta." (Fil. 3:13,14) Una vez que Pablo comenzó a depender de los recursos divinos en vez de depender de los suyos el futuro se le presentó cargado de promesas, anticipando lo que Dios iba a hacer en él y por medio de él.

Pablo no volvía la vista al pasado, ya fueran fracasos o éxitos. En vez de ello se ocupaba del presente, manteniendo una expectativa constante por los planes del futuro. El líder cristiano debiera usar la vida de Pablo como modelo, esperando y anticipando lo que Dios quiera hacer con él y por medio de él.

Siempre hay que tener una meta. Pablo la tenía: "Me esfuerzo hasta lo último por llegar a la meta" (Fil. 3:14) Una meta sirve para orientarnos a fin de que nos sea posible lograr lo que nos hemos propuesto y obtengamos el éxito final, que son ingredientes importantes para mantener una actitud positiva. Las metas dan significado a la vida y una razón para trabajar. Las personas que tienen una meta rara vez se preguntan: "¿Quién soy? ¿Y por qué estoy aquí?"

Hay que considerar los problemas como ocasión para mejorar. Todos somos vulnerables a las actitudes y pensamientos negativos al enfrentarnos con los problemas. Sin embargo, Santiago escribe:

"Amados hermanos, ¿están ustedes afrontando muchas dificultades y tentaciones? ¡Alégrense! (Santiago 1:2)

Esto podría parecer una afirmación ridícula porque ¿quién puede sentirse dichoso ante las dificultades? Pero la respuesta nos la da el versículo siguiente: "La paciencia crece mejor cuando el camino es escabroso." (v.3) He aquí un principio importante para mejorar y tener una actitud positiva.

Un problema siempre trae consigo la oportunidad de mejorar. Las actitudes del líder desempeñan un papel importante en el desenlace de un proyecto. Cuando Tomás Edison y sus compañeros luchaban por conseguir la lámpara incandescente experimentaron grandes dificultades y cientos de fracasos. Cada problema era otro motivo de frustración para Edison y sus asistentes y adoptaron actitudes muy negativas con respecto al proyecto.

A la postre, los compañeros de Edison le abordaron diciéndole: "Tom, ¿por qué no abandonas la idea? Hemos probado con cientos de experimentos y ninguno ha resultado. Afrontemos la verdad: la cosa es un fracaso. Edison contestó: "No hemos fracasado ni una vez. Ahora sabemos cientos de cosas que no funcionan, de modo que estamos mucho más cerca de la respuesta correcta."

Edison era un gran inventor porque aprendió a ver en los problemas oportunidades para avanzar. Por tanto, le era posible mantener una actitud positiva, con lo cual hallaba soluciones factibles. Por otro lado, sus compañeros de laboratorio dejaban que los problemas les hiciesen adoptar actitudes negativas, y sentían ganas de abandonar el proyecto.

Debido a que las actitudes negativas producen acciones y actitudes negativas, es muy importante que el líder sea positivo al enfrentarse con problemas. Esto se logra mejor reconociendo que cada problema trae consigo la oportunidad de mejorar.

Las Actitudes son Contagiosas

Probablemente todos hemos oído la expresión: "La manzana podrida pudre a las demás." Este aforismo describe claramente la naturaleza contagiosa de las actitudes. Una actitud negativa de un individuo puede afectar a una organización entera.

Dios sabe muy bien la influencia que ejercen las actitudes negativas de una persona sobre un grupo entero. Por lo tanto, cuando dio a los hijos de Israel las leyes sobre el servicio militar, dijo: "¿Hay alguno que tiene miedo? Si tienes miedo vete a tu casa, antes que contagies con tu miedo al resto del ejército." (Deut. 20:8) Este versículo nos muestra lo contagiosas que son las actitudes.

El líder o dirigente debe estar siempre pendiente de la moral y de las actitudes dentro de su grupo u organización.

Resumen del Capítulo

Las actitudes desempeñan un papel primordial en determinar la actuación de usted y de su organización. Tal como el hombre "piensa en su corazón, tal es él." (Prov. 23:7, versión 1977) Las actitudes positivas contribuyen a los resultados positivos, pero las negativas contribuyen a acciones y resultados negativos.

El impacto que tienen las actitudes sobre las acciones se ilustra de manera intensa en el relato de Moisés y en el de Josué al enviar a los espías a explorar las condiciones de la tierra prometida. Los espías de Moisés regresaron convencidos de que era imposible tomar la tierra y, por lo tanto, no la tomaron. En cambio, los espías de Josué creyeron en la posibilidad de capturar la tierra y lo consiguieron.

El concepto del líder cristiano sobre el poder del pensamiento positivo difiere del que tiene el que no es cristiano. El cristiano puede tener pensamientos positivos porque está consciente de que el poder de Dios es la fuente de su éxito. Por otra parte, el no cristiano cree que basta con pensar de manera positiva para obtener resultados positivos.

La habilidad que posee el líder cristiano para pensar positivamente está influenciada por el concepto que tiene de Dios. En verdad nuestras metas serán diferentes en la proporción que reconozcamos el poder de Dios. No confiamos en Dios más que en aquello que pensamos que es capaz de hacer a nuestro favor, pero él está dispuesto a hacer por nosotros más de lo que nos imaginamos, de lo que le pedimos o creemos. Esto es evidente cuando leemos: "Ahora gloria sea a Dios, quien por el formidable poder que actúa en nosotros, puede bendecirnos infinitamente más allá de nuestras más sentidas oraciones, deseos, pensamientos o esperanzas. (Efe. 3:20)

Las actitudes positivas no se obtienen con sólo decirnos a nosotros mismos que debemos pensar positivamente. Para mantener una actitud positiva, piensa siempre en Dios y en sus recursos, en vez de pensar en tu propio ingenio. Mira al futuro en lugar del pasado, ten siempre metas bien definidas y considera tus problemas como oportunidades para mejorar.

Aplicación Personal

1. Averigüe las actitudes positivas y las negativas que existen actualmente en su departamento.

2. ¿En qué forma afectan las actitudes negativas la productividad de su grupo o departamento?

3. ¿De qué manera ha **contribuido** usted a que su grupo tenga actitudes positivas?

4. ¿Cómo pueden eliminarse las actitudes negativas?

5. ¿Qué se podría hacer para lograr un ambiente de trabajo más positivo en su departamento?

12
Evaluación
del Rendimiento

Al finalizar un seminario de administración sobre los sistemas de evaluación con el presidente de una organización cristiana, me decía: "De todas las actividades que llevo a cabo la que menos me gusta es la de evaluar el rendimiento de los empleados." En su conversación me explicó que siempre se sentía incómodo al hacer la revisión y que no confiaba en el sistema que se estaba empleando. "No estoy seguro de que la forma que empleamos nos indique en realidad mucho acerca del rendimiento de los empleados." Y me dijo también "algunas veces me pregunto por qué lo usamos."

La mayoría de los sistemas de evaluación no desempeñan la función para la cual han sido ideados. Por lo tanto, las personas se muestran un tanto escépticas y en desacuerdo. Dwight Shank, que fue jefe de Producción de una de las empresas fabricantes de hule más grandes del país, me dijo: "Durante todos los años que he trabajado como jefe, todos los sistemas que empleé para evaluar, así como los que han empleado para evaluarme a mí, han dado origen a controversias entre dirigentes y subordinados y han causado más daño que bien."

Betty Simpson, jefe de personal de un hospital, me dijo: "Oh sí, hacemos como si evaluásemos el rendimiento de los empleados, pero todos saben aquí que no significa nada."

La mayoría de los líderes y dirigentes tienen una pobre opinión sobre los sistemas de evaluación. En el mejor de los casos, los consideran como actividades que hacen perder el tiempo y que carecen de significado y de valor. Como consecuencia, la mayoría de los jefes se muestran reacios a tener que llenar los formularios y dirigir las sesiones relacionadas con el sistema.

Propósito de los Sistemas de Evaluación

Aparte de lo que puedan pensar muchos dirigentes o líderes sobre los sistemas de evaluación estos no fueron concebidos para darle al departamento de personal algo que hacer. Por desgracia es cierto que muchos han degenerado hasta no ser más que eso. Sin embargo, para cumplir con los proyectos y actividades, conforme al plan el dirigente y el empleado deben poder evaluar el progreso y tomar acciones correctivas cuando sea necesario. Este es el objeto principal y la función del sistema de evaluación.

De todos los métodos a disposición del dirigente, la evaluación del rendimiento es uno de los más importantes y valiosos. Bien calculado y utilizado es uno de los vehículos a través del cual se transmite mejor la filosofía del dirigente, se obtiene la confianza, el poder para decidir, se corrigen los errores y se transforman en enseñanzas positivas, se reconocen los méritos, y tanto la productividad del empleado como la del supervisor aumentan.

Cuando se hace bien la evaluación del rendimiento, contribuye a afianzar al equipo y mejora la comunicación entre dirigentes y empleados. Cubre tanto las necesidades de trabajo del supervisor como las del empleado, contribuyendo a mantener un sistema de responsabilidad mutua entre ambos. Finalmente, deja constancia, por escrito, del progreso obtenido en cuanto a la realización del proyecto.

Como Ve Dios el Desempeño de las Funciones

Dios conoce nuestro rendimiento. Las Escrituras nos enseñan la preocupación que Dios siente por la calidad y el nivel de nuestro rendimiento en el trabajo cuando nos dice: "Lo que hagan, háganlo bien, con alegría, como si en vez de estar trabajando para amos terrenales estuviesen trabajando para el Señor." (Colo. 3:23) Mientras estuvo en la tierra, Jesús aparentemente trabajó rindiendo al máximo porque los que observaron sus actos dijeron: "todo lo ha hecho bien." (Mar. 7:37)

Cuando Jesús relató la parábola de los talentos (Mat. 25: 21-26) describió a dos clases de personas, las que trabajaban bien y las que lo hacían mal. Al que trabajaba bien le dijo: "¡Magnífico, eres un siervo bueno y fiel!" (v. 21) pero cuando describió al mal trabajador el amo le dijo: "¡Malvado, haragán!" (v. 26)

El dirigente cristiano debe exigirse a sí mismo un elevado nivel de calidad en su rendimiento. Como leemos en Col. 3:23, debemos de trabajar con ahínco y empeño en todo lo que hagamos. La meta del cristiano es la de un rendimiento intachable, con una actitud positiva y entusiasta en cuanto a la tarea que está desempeñando.

Esta es una opinión diametralmente opuesta a la opinión mundana del trabajo y del rendimiento. La filosofía secular tiende a decir: "Tómatelo con calma", "no trabajes tanto." Muchas personas hacen solo el mínimo que se les requiere para que el jefe no les eche la bronca. Esto, naturalmente, es contrario a las normas establecidas en Colosenses 3:23.

Ya que lo que Dios desea es que nuestro rendimiento sea bueno, la comunidad cristiana y sus dirigentes deben esforzarse por alcanzar un elevado rendimiento. Una vez que lo han conseguido y que lo han mantenido, el sistema de evaluación de rendimiento puede ser uno de los más valiosos implementos para el dirigente, deseoso de lograr y mantener un elevado rendimiento.

Causa de los Fracasos de los Sistemas de Evaluación de Empleados

La mayor parte de los sistemas de evaluación se basan en objetivos equivocados. La mayoría de los sistemas de evaluación del rendimiento están diseñados para evaluar la historia pasada en vez de evaluar el trabajo que se está realizando en esos momentos. Se centra en el trabajo realizado por los empleados durante los últimos doce meses. Se conoce a estos sistemas por el nombre de "revisiones anuales." Una vez al año el supervisor rellena una tarjeta de evaluación que resume el rendimiento del empleado durante el año transcurrido. Por desgracia en la mayoría de los casos resulta de poco valor el anotar y el revisar el rendimiento del empleado durante el año que ha pasado, ya que es algo que ha pasado a la historia y no se puede cambiar.

Exceptuando el valor mínimo que tal sistema ofrece para futuros planes, la información sirve de muy poco. Mientras se hablaba de la revisión anual y de los sistemas empleados, en un seminario, un dirigente dijo: "Me opongo a escribir que uno de mis empleados tuvo un rendimiento por debajo de lo normal durante el año anterior porque lo que realmente estoy diciendo es que mi trabajo como supervisor sobre esa persona dejó mucho que desear. Por lo tanto, tiendo a dar un buen informe porque les hace quedar bien y de rechazo me hace quedar bien a mí a los ojos de mi jefe."

Otro dirigente comentó: "Yo aprendí que lo que hay que hacer es calificar bajo a los empleados en un principio. De esa forma es posible notar una mejoría año tras año en su rendimiento." Acabó diciendo: "Eso le da la impresión al empleado de que mejora constantemente."

Al oír estos comentarios, me dí cuenta de que para muchos dirigentes el rellenar los informes no era otra cosa que un juego para tener contentos a todos, pero en realidad no tiene nada que ver con el rendimiento del empleado.

Para que tenga valor un sistema de evaluación del rendimiento, debe permitir al dirigente y al empleado corregir los errores mientras se lleva a cabo el proyecto. Ya que el pasado no puede cambiarse, la revisión anual carece de valor para ayudar a las personas en un proyecto que está en marcha. Por lo tanto, en vez de estar dirigido a evaluar las acciones o el rendimiento pasados, el sistema de evaluación debería servir para evaluar el trabajo que se está realizando.

La mayoría de los sistemas de evaluación carecen de normas estipuladas en cuanto al rendimiento. La evaluación del rendimiento de un empleado típico fracasa no solamente por evaluar la historia pasada, sino porque carece de normas claramente definidas para poder juzgar el rendimiento.

La falta de normas bien definidas con frecuencia da origen a la frustración, a la confusión y al resentimiento, tanto por parte del supervisor como por la del empleado. Dwight Shank, lo explica así: "El desempeño del trabajo, evaluado anualmente, resulta un tanto impreciso. Nunca sé cómo valorar a los empleados con respecto a la calidad de su trabajo, porque nosotros los jefes no hemos establecido con claridad el significado de "la calidad normal".

Me dijo: "En resumen, de lo que se trata, en realidad, es de confrontar la opinión del dirigente con la del empleado y en este caso la situación obliga a pasar revista a una serie de rendimientos desagradables.

Mientras practicaba un análisis de una organización cristiana, un empleado me preguntó: "¿Por qué no les dice a los jefes que expliquen qué significa habilidad para trabajar bien con los demás? El dijo que hacía poco que había recibido su evaluación anual y su jefe lo califico con una nota inferior respecto al promedio en la categoría de "habilidad para trabajar bien con los demás."

"Yo me llevo bien con todos en el trabajo" continuó diciéndome, "pero después de esa nota ya no me llevo bien con el jefe." ¿Cómo podremos saber qué es lo que hay que hacer, si no nos dicen lo que ellos quieren?

El sistema de evaluación del rendimiento debería ayudar tanto al supervisor como a los empleados a fijar las normas "antes" de que el empleado empiece a trabajar en su empleo, sobre el cual habrá de realizarse la evaluación. Si es que el trabajo del empleado ha de ser considerado como "bueno" deberá saber, de antemano, qué es lo que se entiende por "bueno". A menos que las normas de rendimiento queden bien claras los empleados no podrán saber lo que se espera de ellos.

La mayoría de los dirigentes no poseen el adiestramiento necesario para llevar a cabo sesiones de revisión de la labor realizada por los empleados. Esta es una de las grandes lagunas que tienen los sistemas de revisión del rendimiento de los empleados, causando malestar y angustia tanto al supervisor como a los empleados.

Un día cuando yo trabajaba como director de personal en una empresa electrónica, entró en mi oficina una joven, con lágrimas en los ojos. Dijo que se sentía como una colegiala que acababa de regresar de la oficina del director.

Cuando le pregunté qué le pasaba, me dijo que acababa de tener su primera sesión de evaluación de su trabajo, con el nuevo jefe, y sentía deseos de renunciar. "Si mi trabajo era tan malo, me lo debía de haber dicho antes" se quejó, "¿Cómo iba yo a saber que no estaba contento con mi trabajo?"

Mordiéndose las uñas continuó diciéndome: "La jefa me trató como a una niña pequeña que mereciera unos azotes. Soy una persona adulta y lo menos que podría hacer es tratarme como tal."

Escenas similares se repiten en innumerables ocasiones en oficinas de personal, por todo el país, después de examinar el rendimiento en el trabajo. Pocos dirigentes saben conducir una sesión de evaluación del rendimiento y ofrecer una crítica constructiva que sería beneficiosa para sus empleados.

Como resultado, muchos dirigentes y organizaciones han dejado de practicar evaluaciones y sesiones de estudio del rendimiento del trabajo. En una compañía en la que yo trabajé decidieron enviar una carta a todos los empleados una vez al año en lugar de hacer la revisión del rendimiento. Uno de los jefes dijo: "La carta anual le ahorra a la empresa miles de dólares porque no perdemos el tiempo en sesiones inútiles."

Tuve la curiosidad de averiguar cómo funcionaba el sistema de la carta anual, así que pregunté a varios de los empleados. Uno de ellos me dijo: "Nos envían una carta cada año, explicándonos que aprecian los servicios rendidos a favor de la compañía durante otro año más y eso es todo lo que dice." Algunos confesaron que ni siquiera la leían por no tener significado alguno. Un empleado me dijo: "La mandan porque piensan que están obligados a decir algo acerca del año que ha pasado. Personalmente opino que deberían ahorrarse el sello."

Para que las evaluaciones de rendimiento tengan sentido, deben hacerse en un ambiente que estimule el aprendizaje en los dos sentidos. Es decir, el supervisor tiene que aprender la mejor manera de suplir las necesidades del empleado y el empleado aprender cuál es su situación actual con respecto a lograr que se lleve a cabo el proyecto planeado.

La sesión de evaluación del rendimiento no debe limitarse nunca a la evaluación del rendimiento del empleado. En cada sesión debe estudiarse también el comportamiento del supervisor.

Cómo Elaborar un Sistema Efectivo de Evaluación del Rendimiento

Los pasos siguientes deben seguirse para la elaboración de un sistema de evaluación del rendimiento:

- Ponga el énfasis en el trabajo que se está realizando, más bien que en evaluar la historia anterior.
- El supervisor y el empleado deben estar de acuerdo en idear medidas de rendimiento generales. Esto debe acordarse antes de que comience el proyecto o actividad, de manera que el empleado sepa qué conceptos se siguen para juzgarle.
- Las sesiones de evaluación deben llevarse a cabo en un ambiente en donde ambos bandos aprendan, debiendo tenerse en cuenta tanto la función del uno como del otro."
- Se debe enfatizar el solucionar todos los problemas para que el proyecto se termine como se planeó originalmente.

La Evaluación del Trabajo Mientras se Está Realizando

En el libro de Nehemías encontramos que está repleto de principios aplicables al gerente y a su trabajo. Nehemías era el tipo de dirigente que creaba el ambiente de trabajo que motivaba a la gente a altos niveles de productividad.

En el capítulo cuarto de Nehemías, le vemos evaluando el trabajo que se está haciendo no el ya hecho. Al cambiar las condiciones, los procedimientos también cambian para cubrir las necesidades que van surgiendo. Por ejemplo, en un momento dado el pueblo se debilitó a causa de lo pesado del trabajo y el enemigo comenzó a amenazar con atacar la ciudad. Cuanto esto sucedió, Nehemías cambió los horarios de trabajo y de las obligaciones para que tuvieran más descanso y a la vez pudieran defender mejor la ciudad y a los trabajadores. (v. 10-23) Si Nehemías hubiera esperado hasta que hubiese acabado el proyecto para evaluar los resultados, los cambios de la situación hubieran impedido que el pueblo terminase de construir la muralla.

Para que una organización pueda cumplir con sus planes, debe seguir un curso de acción según requieran los cambios de las condiciones y de las circunstancias. Por lo tanto, la organización debe reconocer rápidamente esos cambios en las condiciones y en

Nombre del empleado _____ Posición _____

Departamento _____ Supervisor _____

Fecha en que se practicó _____ Fecha de la Rev. _____

La siguiente información debe prepararse de común acuerdo por el supervisor y el empleado

1. Diga ¿cuáles son los objetivos que el empleado hará? Diga cuáles son en términos medibles

2. ¿Qué normas de rendimiento fueron empleadas para evaluar?

3. La próxima fecha de revisión será

La sig. información se anotará durante la sesión de revisión

1. ¿Cuál es el progreso logrado en cada proyecto u objetivo

2. Cambios en los procedimientos de trabajo necesarios para llevar a cabo el plan debido a las condiciones cambiantes

3. Asistencia que necesita el supervisor para que el empleado termine su trabajo

4. Evaluación total del proyecto una vez terminado el trabajo

Firma del empleado

Firma del supervisor

Figura 17. Muestra de una hoja de evaluación del empleado en el trabajo.

las circunstancias. La evaluación del rendimiento del trabajo que se está llevando a cabo, permite hacerlo y, por ello, es un instrumento útil para tal objetivo.

Nos permite tener la seguridad de que las diferentes actividades dentro del proyecto se están evaluando, a la vez que se realiza, sin esperar a que termine. De este modo, las condiciones cambiantes y las necesidades se identifican y las medidas correctivas pueden aplicarse debidamente.

Formulario de Evaluación del Trabajo en Marcha

El primer paso para la evaluación del rendimiento de manera eficiente, es el de preparar un archivo para cada empleado. Enseguida se toma una hoja de papel y se traza una raya vertical de arriba hacia abajo, que divida la hoja en dos partes iguales. Como lo muestra la fig. 17. Antes de la sesión con los empleados se anotan el nombre, la dirección, el teléfono, puesto que desempeñan, departamento y la fecha en lo alto de la hoja.

La primera reunión da al supervisor oportunidad de comunicarse con el empleado y juntos determinar los objetivos y proyectos que se van a efectuar. También les permite participar en la creación del rendimiento y en las normas que servirán para evaluarlos.

Manera de Fijar las Normas Generales

Muchos de los problemas asociados a los sistemas de evaluación del rendimiento pueden tener su origen en la falta de normas. Las sesiones de evaluación se vuelven puramente subjetivas cuando no existen normas o patrones claramente definidos. Con las normas de evaluación del rendimiento es posible, tanto para el supervisor, como para el empleado, identificar cuál es el rendimiento aceptable y cuál es inaceptable antes de comenzar el trabajo.

La fig. 18 nos muestra la importancia que tiene establecer las normas del rendimiento. La meta consiste en alcanzar la diana al centro por medio de la flecha. Pero si no logramos dar en el centro, pero caemos cerca del centro como indica la flecha, ¿será suficiente cercano si logramos que caiga allí con regularidad? ¿O será necesario seguir practicando hasta que nuestra flecha alcance el centro con cada tiro? ¿No estaría reñido con la realidad el fijar una norma tan difícil de alcanzar?

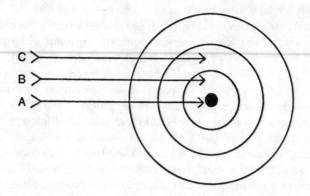

Figura 18. Las normas del rendimiento deben entenderse claramente.

Estas son la clase de preguntas que las normas generales se encargan de responder. La meta, en cada tiro, sería evidentemente la de colocarla en el centro. No obstante, debemos fijar cuán lejos del centro se considera aceptable.

Por lo tanto, cuando el supervisor y el empleado establecen las normas se deben fijar: normas preferidas o preferenciales y normas mínimas para el rendimiento. Sin embargo, si podemos conformarnos con menos, la norma mínima nos indica a cuánto menos de la norma preferida se nos permite llegar antes de tener que repetir la actividad o proyecto. En otras palabras, la norma mínima nos indica cuál es la tolerancia que existe entre las normas establecidas.

Como indicamos antes, el empleado y el supervisor deben trabajar en conjunto para fijar las normas antes de iniciar el proyecto. Esto le permite al empleado saber lo que se espera de él y le facilitará al supervisor y al empleado la evaluación del trabajo que se está llevando a cabo. Además, ayudará al empleado a sentirse más orgulloso de su trabajo, sabiendo que no solo es el autor, sino también que contribuyó a fijar lo bien hecho que debía estar el trabajo.

Organizando un Sistema de Revisión Para el Trabajo en Vías de Desarrollo

La revisión del trabajo mientras se realiza no es algo que el dirigente hace cada año y después lo olvida hasta el año siguiente. Al contrario, el sistema se emplea de manera continua, mientras el empleado trabaja en las obras y proyectos relacionados con su trabajo.

La fig. 19 nos sirve de ejemplo para mostrar cómo puede revisarse el trabajo en marcha, en un proyecto de seis meses de duración. La revisión de los trabajos en vías de progreso constante, están hechas para mantener al empleado y al supervisor informados de cómo marcha el proyecto, si se necesita hacer cambios y si el proyecto se está desarrollando según se planeó. Las sesiones también permiten que exista una comunicación constante entre el supervisor y el empleado con respecto a los diversos aspectos del mismo.

Cómo Dirigir las Sesiones de Evaluación del Rendimiento

La sesión de evaluación es un vehículo excelente para demostrar a los empleados que los dirigentes tienen interés en satisfacer sus necesidades de trabajo. Además le da al supervisor la oportunidad de establecer una relación de confianza con sus subordinados. También es un medio para permitir a los empleados que tomen decisiones y de ayudarles a hacer que sus fracasos y errores se conviertan en experiencias positivas de aprendizaje. Es el momento apropiado para que el empleado reciba el reconocimiento merecido por el trabajo logrado y que se le haga una crítica constructiva necesaria.

Trata de crear un medio de aprendizaje para el dirigente y para el empleado a la vez. Para que la sesión de evaluación tenga sentido, el dirigente debe evitar el ocuparse sólo en juzgar el rendimiento del empleado. En lugar de ello, debe tratar de crear un ambiente en el cual el empleado se dé cuenta que el rendimiento del supervisor será evaluado juntamente con el suyo.

Por lo tanto, el supervisor debe aprender del empleado la mejor forma de suplir las necesidades del trabajo mientras se lleva a cabo. Las sesiones de evaluación no sólo deben referirse al rendimiento

0 ● Concierte una cita con el empleado para fijar normas factibles y normas de rendimiento generales para el proyecto.

1 ● El empleado comienza a trabajar en el proyecto.
semana

4 ● El supervisor y el empleado se reúnen para su primera sesión de
semanas revisión del trabajo en vías de progreso. Esta sesión debe verificarse poco después de empezado el proyecto para estar seguro de que no se presentarán problemas en la fase inicial del trabajo. Durante esta sesión se revisarán: los objetivos, los horarios, calendarios y las normas de rendimiento. El supervisor debe hacer un énfasis especial en tratar de preveer las necesidades de trabajo del empleado conforme avanza el proyecto. Fije la fecha de la próxima sesión de revisión. El lapso de tiempo que se deje entre revisiones depende de la forma como se está desenvolviendo el proyecto.

12 ● La segunda sesión de revisión del trabajo en vías de progreso
semanas debe considerar las actividades que faltan para terminar el trabajo en la fecha acordada. ¿Está el trabajo avanzando conforme a lo planeado o no? Han aparecido circunstancias imprevistas que no fueron anticipadas?

22 ● La tercera sesión de revisión del trabajo en vías de progreso se
semanas lleva a cabo poco antes de terminar el proyecto para asegurarse que no habrá cambios de última hora necesarios para terminar el proyecto como se había programado.

24 ● La evaluación final se practica al final del proyecto. Esta sesión
semanas compara los resultados con los proyectos originales.

Figura 19. Este gráfico ilustra una muestra de la revisión del trabajo en vías de progreso con evaluación semestral del proyecto.

del empleado, sino también a la forma en que el dirigente ha cubierto las necesidades del empleado. En la mayoría de las sesiones el dirigente comienza la misma preguntando al empleado cuáles son sus necesidades desde el punto de vista del trabajo y en seguida deben ponerse de acuerdo con respecto a la manera de satisfacerlas.

Concéntrese en tratar de obtener ideas y sugerencias del emplea-do. Las sesiones deben aprovecharse para que el supervisor solicite ideas y sugerencias del empleado, no es la ocasión para discursos extensos. El supervisor debe pedirle al empleado sus opiniones acerca del estado actual del proyecto, los progresos realizados, los problemas que han tenido desde que hubo la última junta o sesión y sus recomendaciones para corregir o solucionar los problemas. Esto da al empleado la oportunidad de hacer uso de sus facultades creadoras. También le dará a entender que el dirigente confía en su criterio y necesita de sus sugerencias.

Estimula a los empleados a ofrecer sugerencias dentro del ámbito de su responsabilidad. Muchos empleados esperan que el dirigente resuelva todos los problemas y tome todas las decisiones necesarias concernientes a los cambios y a otras medidas correctivas. La sesión de evaluación es un momento excelente para estimular al empleado a que ayude a resolver sus propios problemas, siempre que la solución dependa de la autoridad que le corresponde al empleado. Nunca permita que el empleado delegue en usted los problemas cuando esté en condiciones de resolverlos perfectamente. El dirigente con frecuencia evita que el empleado decida, interponiéndose a menudo, demasiado pronto, evitando así que el empleado resuelva el problema.

Si el dirigente decide por el empleado este último siempre tendrá a quien culpar cuando las cosas no resulten bien. Siempre puede regresar al supervisor y decirle: "Su primera idea no resultó ¿por qué no probamos otra?" En cambio, si las decisiones son suyas y tiene que resolver el problema, la idea será nuevamente del empleado y se esforzará más para que dé resultado porque su reputación como dueño de la idea y de la decisión, están en juego.

La sesión puede ser empleada por el jefe para desarrollar las habilidades directivas del empleado. Puede instruirle en el empleo de mejores métodos de trabajo, en la toma de decisiones y a correr riesgos. El dirigente que decide constantemente por sus empleados está haciendo de hecho el trabajo para el cuál les contrató. Limita su creatividad y los vuelve dependientes de él.

Emplee la hoja de evaluación para tener un control por escrito del progreso y de las actividades efectuadas. Es de mucha importancia poner por escrito el rendimiento del trabajo de los empleados; tanto los progresos como los problemas deben anotarse y el empledo deberá firmar la hoja al final de cada sesión. Estos datos ofrecen información de gran valor cuando se planean proyectos similares para el futuro y cuando se juzgue al empleado para un ascenso.

Siempre aproveche la sesión para reconocerle al empleado sus méritos. El dirigente deberá, durante la sesión evaluadora, reconocer el rendimiento del empleado. El reconocimiento adecuado significa que el dirigente alaba el trabajo del empleado cuando lo ha hecho bien y hace crítica constructiva cuando sea necesaria. Algunos dirigentes no escatiman las alabanzas, pero no saben emplear la crítica constructiva.

Al hacer la crítica siempre hay que hacer énfasis sobre sobre el rendimiento. Trate las causas de los problemas y nunca critique a menos que Ud. pueda ofrecer algunas sugerencias para que mejoren. Limítese a los hechos y evite las opiniones subjetivas, ya que solo conducen a discusiones. Un empleado no podrá negar que tuvo un mal rendimiento si usted le presenta los hechos y no solamente opiniones.

Resumen del Capítulo

La evaluación del rendimiento de los empleados, es uno de los medios más importantes de que dispone el dirigente. Sin embargo, muchos dirigentes se sienten frustrados con sus actuales sistemas de evaluación, ya que dichos sistemas están hechos para evaluar el pasado en vez del trabajo que está en vías de progreso.

Los sistemas que evalúan la historia del pasado carecen de valor puesto que no podemos corregir los errores del pasado; por otro lado, los sistemas que tratan de evaluar el trabajo en vías de progreso son muy interesantes y beneficiosos para que las organizaciones y sus empleados cumplan con sus trabajos, tal como se habían planeado, así en esta forma aumentando la productividad.

En las evaluaciones del trabajo en vías de progreso deben participar tanto el supervisor como el empleado en idear objetivos factibles, normas de rendimiento reales, y las actividades necesarias para el logro de los proyectos que se evalúan.

La sesión de evaluación deberá de llevarse a cabo en un medio de enseñanza y aprendizaje recíproco. Esto es que sean evaluados el rendimiento del supervisor, así como el del empleado. El supervisor debe utilizar las sesiones para transmitir seguridad y confianza, para permitir que el empleado tome decisiones, transformando los fracasos y errores en experiencias positivas, por medio de las cuales se pueda aprender y reconocer debidamente la labor ralizada.

Aplicación Personal

1. Prepare un archivo para cada uno de los empleados, que incluya una hoja de papel con el nombre, la dirección y el puesto, el título del empleado, así como el departamento donde trabaja. Tal como lo indica la fig. 17.

2. Concierte una cita para cada empleado con el fin de explicar como es la sesión de trabajo en vías de desarrollo y el sistema de su evaluación. Esto puede explicarse individualmente o en grupo.

3. Establezca un horario para efectuar las sesiones de evaluación del rendimiento con cada empleado tal como explica la fig. 17.

13
Los Conflictos en la Organización y su Solución

Tarde o temprano el dirigente se verá envuelto, directa o indirectamente, en algún conflicto de la organización. A lo largo de toda la historia de la humanidad el trato incorrecto de los conflictos, ha dado al traste con matrimonios y amistades, ha disuelto negocios, compañías y corporaciones, ha motivado la caída de grandes líderes y de imperios, de gobiernos y ha desencadenado guerras.

Se puede decir entonces, que un conflicto es un fenómeno que, en potencia, es muy peligroso y que es capaz de **destruir** la efectividad de una organización o de su jefe. Las Escrituras describen con realismo el potencial destructivo de los conflictos. "Pero si en vez de amarse unos a otros se muerden y se comen, ¡cuidado no se vayan a consumir!" (Gálatas 5:15)

Los Sres. Ed Hamilton y George Harrison son un ejemplo clásico de lo que sucede cuando las personas y los conflictos no se tratan como es debido.

Hace varios años Ed y George fundaron la empresa H & H, Fabricantes en el garage de la casa de Ed. Empezaron a fabricar remolques pequeños para algunas amistades. El negocio creció y se volvió una empresa que obtenía buenas ganancias y siguió creciendo hasta volverse una de las compañías más grandes del centro de los Estados Unidos.

Sin embargo, surgió un serio malentendido en el negocio entre Ed y George, pues Ed quería que se fabricaran remolques para acampar, pero George argüía que la saturación del mercado y el alza de los precios de la gasolina disminuían la demanda.

La discordia se convirtió en un grave conflicto entre los dos socios. Empezaron a desacreditarse el uno al otro delante de sus propios empleados y finalmente algunos de los directivos renunciaron para irse a trabajar con la competencia.

Como consecuencia disminuyó la productividad y la compañía empezó a endeudarse. Cada socio culpaba al otro por la ruina del negocio. Esto dio origen a mayores conflictos y al poco tiempo la compañía estaba al borde de la quiebra.

Hace poco Ed y George vendieron lo que les quedaba de su negocio que antes había sido floreciente. La familia de Ed se trasladó a Minnesota y la de George se estableció en Colorado.

George me dijo: "Ed era mi mejor amigo, pero ahora le considero mi peor enemigo. Después de vender el negocio ninguno de los dos pudimos soportar quedarnos en la población en la que nos conocimos y por eso los dos nos marchamos."

En este capítulo discutiremos los métodos que las personas emplean para afrontar los conflictos. Estudiaremos el enfoque bíblico para solucionar el conflicto y la confrontación.

Definición del Conflicto en las Organizaciones

Un conflicto puede definirse como *una oposición franca y hostil que se presenta como resultado de dos puntos de vista opuestos.* El conflicto no debe confundirse con la *desavenencia.* Puede existir desavenencia sin hostilidad. No obstante, el conflicto siempre va acompañado de hostilidad.

Ninguno de los aspectos de la organización está libre de posibles conflictos. La oposición abierta y hostil puede hacer su aparición entre individuos, departamentos, diferentes niveles de aministración y localidades geográficas. Como vimos en el caso de los fabricantes H & H, los conflictos sin resolver pueden dar al traste con la empresa más floreciente y también acabar con amistades íntimas.

El Origen de Todos los Conflictos en las Organizaciones

Los conflictos tienen su origen en nuestros deseos egoístas y en nuestras pasiones. (Sant. 4:1) "¿Por qué hay enemistades y riñas entre ustedes? ¿Será que en el fondo del alma tienen un ejército de malos deseos?" En los conflictos el énfasis recae siempre en uno mismo. Nos concentramos en el "yo" y en "lo mío", mis derechos, mis ideas, mis sentimientos.

En los Proverbios leemos: "El orgullo conduce a la discusión; sé humilde, recibe consejo y adquiere sabiduría." (Prov. 13:10)

En un conflicto nuestra conversación se llena de afirmaciones que promueven, protegen y atraen la atención hacia nosotos mismos. Su objeto es siempre imponer sobre los demás nuestras ideas, creencias, deseos y opiniones.

Esto fue lo que sucedió con Ed y George. Cada uno se dedicó a imponer sus opiniones y creencias sobre el otro. Tanto Ed como George estaban convencidos de que ellos sabían lo que más le convenía a la compañía. Sin embargo, sus opiniones egoístas y opuestas fueron en aumento hasta convertirse en una abierta y hostil oposición, que encendió la chispa del conflicto entre los dos.

Mi hijo Ron, de dieciocho años, me pidió hace poco que le ayudase a comprarse un automóvil. Hablamos sobre la necesidad que tenía del auto para poder trasladarse de la casa a su trabajo, y yo le prometí que le pagaría la entrada, si él prometía hacer los pagos mensuales y ocuparse de pagar el seguro, el mantenimiento del vehículo y demás gastos.

Al día siguiente me dijo que había hallado un convertible deportivo y que deseaba comprarlo. Que si le hacía el favor de darle el dinero acordado. Yo pensé que los autos deportivos no eran prácticos y traté de quitarle la idea de la cabeza. (Quise imponer mis opiniones acerca de los automóviles a mi hijo), pronto nos encontramos en medio de un conflicto.

Le dije que no le daría el dinero a menos que comprara un auto más práctico. El me acusó de no tener palabra, y me dijo que no tenía derecho a exigir el tipo de automóvil mientras él lo pagara. Le aseguré que tenía derecho a darle consejos (un buen término que los padres empleamos cuando le decimos a un hijo mayor lo que debe de hacer).

Ron y yo teníamos distintas opiniones y cada uno quiso imponérselas al otro. El resultado fue que hubo hostilidad y conflicto.

Los Resultados y los Conflictos

Los conflictos son causa de que inventemos y exageremos las faltas y debilidades de los demás. En medio del conflicto tratamos de justificar nuestra posición y ganar la disputa. Nos convencemos que nuestra opinión es la correcta: por consiguiente, la opinión contraria debe de estar equivocada. El intentar "demostrar nuestro caso tratamos de hacerlo desacreditando las opiniones de la otra persona.

Lamentablemente, no se puede poner un límite a los pensamientos y sentimientos negativos hacia los demás engendrados por el conflicto. Entonces, echamos mano a otros aspectos de la vida de la persona, en busca de otras faltas y debilidades que puedan apoyar lo que sentimos y opinamos.

Por ejemplo, hace algunos años tuve un conflicto con mi pastor acerca de la falta de participación de los laicos en los servicios religiosos. Yo pensaba que nos hacía falta la participación de más laicos en el culto. El pastor opinaba que el culto debía estar en manos de los profesionales. Conforme creció el conflicto, empecé a criticar los sermones del pastor, su peinado y hasta su manera de vestir los domingos y la manera que tenía de llevar su Biblia.

Yo buscaba otras faltas y errores en la personalidad del pastor y en sus actos, para reforzar las opiniones opuestas en nuestro conflicto. Cuanto más exageré sus errores y debilidades, más aumentó la hostilidad entre los dos.

Cuando nos salimos de los temas de la discusión tendemos a atacar a los demás. Esto normalmente perjudica las relaciones y a la productividad de la organización. Con el tiempo me dí cuenta de mi error y fui a hablar con el pastor y le pedí perdón.

No hace mucho realicé un negocio con otros tres hombres. En una de las juntas, tuve una discusión con mis amigos sobre la mejor manera de hacer cierto trabajo. Pronto surgieron actitudes hostiles y nos encontramos en medio de un conflicto serio.

Jerry, el único ingeniero del grupo, trató de explicar lo que había que hacer desde el punto de vista de la ingeniería. Pronto Bill interrumpió diciendo: "¡Los ingenieros son todos iguales! Nos quieren impresionar con palabras y teorías grandilocuentes, pero jamás encontré a uno que supiera lo que estaba haciendo."

Bill había dejado a un lado la discusión y estaba atacando a las personas. Este es uno de los aspectos más detrimentes de los conflictos.

Los conflictos dan origen a divisiones en una organización. Los conflictos pendientes son motivo de divergencia en las divisiones de las iglesias, en las huelgas y en los casos de divorcio. Jesús dijo: "Un reino dividido acaba por **destruirse**. Una ciudad o una familia dividida por los pleitos no puede durar." (Mateo 12:25)

La división separa a las grandes organizaciones, a los individuos y acaba por **destruirlos**. En el caso de la compañía fabricante H & H, el conflicto causó la división de los dueños Ed y George. Al aumentar el conflicto también creció la división hasta que se destruyó su amistad y su productivo negocio.

El conflicto es la causa de que gastemos las energías en actividades que no son productivas. El conflicto perjudica grandemente a la productividad de una empresa. El conflicto deja a las personas agotadas, física y emocionalmente, y consume el tiempo que tenemos para pensar.

Durante un almuerzo en un seminario de dirigentes, un negociante al por menor me explicó: "Esta quincena pasada hubiera hecho más si me hubiera quedado todo el día en la cama." Me explicó además que era el presidente de la junta directiva de su iglesia y que estaba sufriendo las consecuencias de un gran conflicto provocado por la dimisión del ministro de música de la iglesia.

"No hago nada en el trabajo porque me paso el tiempo pensando en lo que va a ocurrir en la iglesia" me dijo, "hemos tenido más juntas en los últimos quince días, que en los últimos ocho años juntos, sin resolver nada."

Cuando consideramos los efectos negativos de los conflictos sobre los individuos y las organizaciones, es fácil comprender la razón que tuvo Pablo al decir: "No riñas con nadie. Procura en lo que te sea posible estar en paz con todo el mundo." (Rom. 12:18)

Los Aspectos Positivos de la Discrepancia

El conflicto siempre significa discrepancia y origina hostilidad. No obstante, es posible que exista desacuerdo sin haber, por ello, conflicto y hasta puede ser beneficioso.

La discrepancia puede ser motivo del crecimiento de un individuo u organización. Como lo muestra la figura 20, la discrepancia puede dar origen a cambios en un individuo o en una organización, que a la larga aporten alguna mejora.

"La discusión amistosa es tan estimulante como las chispas que saltan cuando se golpea hierro contra hierro." (Prov. 27:17) Dos hojas de acero pueden afilarse frotándolas entre sí. En igual forma las personas y las organizaciones crecen aprendiendo a trabajar a pesar de las discrepancias, empleando métodos adecuados de confrontación.

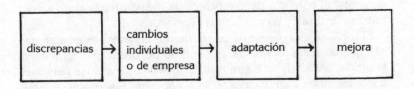

Figura 20: La discrepancia puede traer en último término mejores individuales.

El desacuerdo puede poner de manifiesto las razones para el cambio. El dirigente maduro recibe de buen grado el desacuerdo, ya que le permite evaluar sus creencias y hace los cambios positivos que sean necesarios.

"El hombre inteligente está siempre atento a las ideas nuevas. En realidaed las busca." (Prov. 18:15)

En contraste, el líder inmaduro está siempre a la defensiva, resentido y hostil cuando sus opiniones son puestas en duda. Como consecuencia, el líder inmaduro con frecuencia permite que un malentendido se convierta en un conflicto.

El desacuerdo puede hacernos más tolerantes a las opiniones opuestas. El desacuerdo puede ser un maestro excelente sobre la tolerancia. El aprender a aceptar puntos de vista opuestos, sin provocar reacciones hostiles, es otra de las características del líder maduro. El dirigente que aprende a "estar de acuerdo en que haya discrepancias" también aprende a evitar adoptar una actitud crítica aun cuando los demás se muestren críticos y hostiles hacia él.

Conforme el líder se muestra más tolerante en aceptar los puntos de vista opuestos, es capaz de aceptar críticas sin desear vengarse. Todo dirigente o administrador debería de aplicarse Prov. 23:12: "No rechaces la crítica; acepta todo el auxilio que puedas."

Es de lamentar que la mayoría de nosotros no consideramos como una ayuda sino como un impedimento todo lo que sea crítica.

Métodos para Afrontar los Conflictos

Hay cuatro medios básicos para tratar un conflicto en una organización.

- Evitar el conflicto aislándose de él.
- Evitar el conflicto dando un rodeo a los puntos más graves y concentrándose en los menores.
- Evitando el motivo del conflicto, resolviendo los motivos que son secundarios.
- Señalar las causas verdaderas y resolverlas de una en una con soluciones que sean satisfactorias.

Observe que en tres de ellas se evita afrontar el problema. Es lamentable, pero muchos dirigentes se pasan el tiempo evitando el problema, en lugar de afrontarlo y buscar la solución.

Evitar el problema aislándose. Muchos líderes huyen de los conflictos existentes. Hay muchas formas de hacerlo y una de ellas es olvidándolo. El líder simplemente posterga la solución de los problemas.

Cuando surge un conflicto no puede resolverse huyendo de él o de los temas pendientes. De hecho, cuanto más se retrasa la solución más se agrava.

Les relaté con anterioridad que surgió un conflicto entre mi hijo Ron y yo por la compra de un automóvil determinado que él deseaba a toda costa. El problema estalló una tarde, a la hora de la cena, y la diatriba de palabras duró hasta bien entrada la noche.

Durante los días siguientes yo traté de evadir el problema, evitando hablar sobre el asunto. En numerosas ocasiones Ron me abordó con el tema, y cada vez, encontré algunas excusas para retrasar la cuestión. Con cada retraso pude darme cuenta de que Ron estaba cada vez más molesto. Cuanto más hostil se ponía, más decidido estaba yo a no ceder en mi demanda de que yo influenciara sobre el tipo de auto que comprara, ya que yo era el que iba a realizar el pago inicial.

Cuanto más se tardaba en tratar el problema más hostiles nos fuímos poniendo los dos. Esto es lo que normalmente sucede cuando la gente se ve envuelta en un conflicto y se niega a tratar el asunto.

Es irónico pensar que yo postergué el tratar el asunto porque no quería tener discusiones hostiles con mi hijo, en el futuro. Sin embargo, cuanto más evitaba la situación más hostiles nos volvimos los dos.

Betty Owen, jefa de un proyecto, que abarcaba a varios condados, tuvo un grave conflicto con Joan, su coordinadora de Servicios Sociales, acerca de los horarios de trabajo de Joan. Al principio del año programado, Betty tuvo una sesión de orientación con su personal y explicó la importancia que tenía que cada empleado cumpliera con el horario de las oficinas.

Pocas semanas después, el personal se quejó a Betty de que Joan no permanecía mucho tiempo en la oficina y que nunca cumplía con el horario de la misma.

Cuando Betty le habló a Joan de la queja, Joan se enojó. Tenía reuniones con varios padres por la tarde, además de con otras personas de la comunidad. Por lo tanto, creyó que no estaba obligada a ir a la oficina a la misma hora que el resto del personal.

Por otro lado, Betty pensaba que el sueldo que Joan recibía compensaba el tiempo extra que ella dedicaba a las sesiones adicionales de la tarde y que Joan debía asistir a la oficina a las mismas horas que el resto del personal.

El conflicto no fue resuelto durante la sesión; a partir de entonces Betty trató de evitar el asunto. Sin embargo, los otros miembros del personal siguieron recordándole a Betty que Joan no llegaba a sus horas. Cuando se dieron cuenta de que Betty evadía el asunto, se molestaron y acusaron a Betty de tener favoritismos. Días más tarde, una de las mejores miembros del personal de Betty renunció y se fue a trabajar a otra organización a causa de la negligencia de Betty que se negó a resolver el conflicto con Joan.

El problema de Betty con Joan es un ejemplo clásico de lo que ocurre cuando postergamos el enfrentar un conflicto. La falta de Betty al no solucionar el problema no solo creó un mal ambiente de trabajo entre los empleados de la oficina, sino que fue la causa de que perdiera a una buena empleada.

Evitando el conflicto dando un rodeo a los puntos más importantes y concentrándose en los secundarios. Algunos dirigentes y líderes abordan un conflicto dando un rodeo a los asuntos más graves y tratando solamente los de menor importancia.

Durante mi conflicto con Ron acerca de la clase de auto que debía comprar, yo traté de que pensase en un automóvil "práctico" de acuerdo con mi definición. Quise señalarle la importancia de comprar un automóvil que fuera a la vez fácil de mantener y barato de operar. Traté de convencerlo que me había molestado su elección porque los autos deportivos eran más caros de mantener. El me hizo ver que los gastos de operación correrían por su cuenta, no por la mía. Por lo tanto, no podía comprender el por qué no aprobaba yo el auto. Le parecía obvio que yo debería tener otras razones por las que me oponía a su elección.

Cuando tratamos de limitar nuestras discusiones a los puntos menos importantes del conflicto, hacemos que los interesados se sientan más molestos y frustrados. Pronto se dan cuenta que no obramos con honradez y que evitamos los motivos reales.

Esto me sucedió con Ron. Se dio cuenta que no era franco con él y se puso más hostil, acusándome de no querer que él tuviese un auto de ninguna manera.

¿Cuál era el motivo verdadero por el cual no quería que tuviera un auto deportivo? Me temía que sería una tentación más a correr y aumentar así el riesgo de sufrir un grave accidente. Sin embargo, no quería que pensase que no confiaba en su madurez para conducir detrás del volante de un automóvil, por lo que traté de concentrarme en otros puntos de menos importancia.

Mientras nos limitemos a enfocar los puntos menores del conflicto, no habrá oportunidad de encontrar una solución. Debemos estar dispuestos a exponer los verdaderos motivos en juego.

Evitando el motivo del conflicto, resolviendo los motivos secundarios. Este es uno de los métodos más peligrosos para tratar de resolver conflictos, porque casi siempre crea problemas adicionales.

El tratar de resolver los puntos secundarios es comúnmente un intento por desviar la atención del motivo del conflicto, sin embargo, con frecuencia produce conflictos adicionales porque la hostilidad asociada con el conflicto crea un clima de confusión y malentendido en cualquier comunicación o relación.

Herbert Brixet, es el dueño y maneja una empresa de reparación de equipo pesado. Su encargado, Gary Green, empleó a su propio hijo Walter como mecánico de equipo pesado, y lo colocó en uno de los puestos mejor pagados de la empresa.

Los otros empleados se enteraron de lo que ganaba y se quejaron a Herbert del favoritismo del capataz por su hijo. Al fin Herbert decidió que tenía que enfrentarse al capataz con el problema. Sin embargo, Gary había sido tan buen supervisor durante tantos años que Herbert no quería que se molestase y que posiblemente renunciase.

Un día Herbert invitó a Gary a almorzar, y en un esfuerzo por demostrar que a Walter se le estaba pagando demasiado, empezó criticando la falta de experiencia de Walter. Inmediatamente Gary se puso a la defensiva. Le dijo a Herbert que su hijo tenía mucha más experiencia como mecánico que la hija de Herbert como contable en la oficina.

No tardó mucho en que cada uno de ellos acusara al otro de favoritismo y torpeza para contratar personal. Como resultado tanto Gary como su hijo renunciaron.

En vez de hablar sobre lo que sentían los demás empleados con respecto al salario de Walter, Herbert trató de un asunto secundario con respecto a la falta de experiencia de Walter. Como resultado creó un problema aún más grande que el que hubiese creado si se hubiera limitado a hablar de la causa del conflicto real.

Averigüe la causa verdadera del conflicto y resuélvala una por una. La única manera de resolver un conflicto es atacarlo de frente, identificándose con los puntos a tratar y resolviéndolos uno por uno.

Pocos días después de iniciarse el conflicto con mi hijo Ron sobre su automóvil, me senté a su lado y le pedí disculpas por haberme enojado por la elección de su auto. Le expliqué mi preocupación por su seguridad y le dí mis razones verdaderas por las cuales no quería que tuviese un automóvil deportivo.

También admití que no podía continuar tratándole como si fuese un niño y decidí confiar en su juicio al escoger el auto que le conviniese. Le aseguré que estaba dispuesto a darle la entrada para el automóvil que él escogiese.

Unos dos días después se decidió por un Volkswagen (escarabajo). Mientras íbamos a la Corte, a sacar su carnet de conducir, me dijo: "Sabes papá, tan pronto como tú te mostraste deseoso de permitirme escoger el auto que yo quisiera, me dí cuenta de que no quería un automóvil que usase tantísima gasolina como un deportivo." Sonrió y continuó diciendo: "Si hubiésemos hablado así desde un principio hace días que estaría conduciendo mi auto."

Al tratar los conflictos es preciso ser honrados con las personas implicadas, exponiendo claramente las verdaderas causas. Debemos también estar dispuestos a pedir perdón por la hostilidad que sentimos hacia las otras personas, confiando en los demás en cuanto a que ellos tomen decisiones que serán beneficiosas para cada uno de los implicados en el conflicto.

Jamás debemos retrasarnos en la solución de los conflictos. Mientras dure el conflicto albergaremos hostilidad hacia los demás. Esto va en contra de lo que nos dicen las Escrituras: "Si se enojan ustedes, no cometan el pecado de dar lugar al resentimietno. ¡Jamás se ponga el sol sobre su enojo! Dejen pronto el enojo, porque cuando uno está enojado le da ocasión al diablo." (Efe. 4:26-27).

El Planteamiento Bíblico Respecto a la Confrontación.

Muchos líderes y dirigentes temen tratar los conflictos porque esto implica la confrontación. Sin embargo, por *confrontación* no queremos decir disputa. Cualquiera puede verse envuelto en una disputa o discusión, pero requiere una persona madura para resolver adecuadamente una confrontación. La Biblia le ofrece al líder y al dirigente cristiano un proceso gradual para resolver la confrontación con éxito.

Primero. Asegúrese que está usted tratando con hechos y no con adivinanzas y rumores. "No condenarás a nadie basado en la palabra de un solo testigo. Debe haber por lo menos dos o tres." (Deut. 19:15). Este pasaje nos suministra un principio muy importante para tratar con la confrontación. Debemos asegurarnos de que tratamos con hechos, no rumores u opiniones. Este es el primero y el más importante de los principios de la confrontación. El basarse en habladurías o presunciones comunmente aseguran el fracaso cuando se trata de resolver conflictos. A menos que la confrontación se base en hechos, degenera en oponer una opinión a la otra.

Segundo. Practique siempre la confrontación en privado, entre usted y la otra persona. "Mejor discute con él en privado el asunto; no se lo cuentes a nadie más, no sea que él te acuse de calumnia y no puedas negar lo dicho." (Prov. 25:9,10) En Mateo nos dice además: "Si un hermano te hace algo malo, llámalo y dile en privado cuál ha sido su falta. Si te escucha y la reconoce, habrás recuperado a un hermano." (Mat. 18:15)

No hay que escatimar esfuerzos en resolver el conflicto en privado con aquellos implicados. Muchos líderes cometen el error de criticar públicamente a los implicados en el conflicto. Esto sólo complica los problemas y debilita la fe de las personas. La Biblia dice con claridad que aquellos que están implicados en un conflicto deberán mantener la confrontación como asunto privado.

Tercero. Cuando usted trata de resolver el conflicto en privado, si la otra persona involucrada se niega a resolverlo, vaya acompañado de alguien o inténtelo de nuevo. "Pero si no, consíguete una o dos personas que vayan contigo, a hablarle y te sirvan de testigos." (Mateo 18:16)

Este es un principio importante en la confrontación en el sentido de involucrar a los demás solamente cuando esté convencido de que la otra persona se niega a escucharle. En ese momento, la ayuda exterior para resolver el conflicto logra dos cosas: primero, permite a un tercero neutral emitir su opinión para resolver el problema. Segundo, muestra a los demás que usted está tratando honradamente de resolver el problema.

Cuarto. Si la persona continúa resistiéndose a resolver el conflicto, puede que se vea en la necesidad de acabar con esa relación. Una vez que hayamos hecho todo lo que está de nuestra parte por resolver el problema, pero la otra persona se niegue a cooperar en corregir la situación, la relación se da por terminada. (Mat. 18:17)

Por otra parte, mientras la persona esté dispuesta a arrepentirse y corregir el problema, usted está obligado a perdonarle y a continuar la relación, sin importar cuantas veces surgen conflictos. "¡Ya lo saben! Si tu hermano peca contra tí, repréndelo: si se arrepiente, perdónalo." (Luc. 17:3)

Tratándose de la confrontación debemos tener presente los Prov. 20:3 donde dice: "Honroso es para el hombre rehuir los pleitos, solo el necio insiste."

Los conflictos deben evitarse siempre que sea posible, pero cuando existen no debemos ignorarlos. Debemos confrontar a los implicados con los hechos y esforzarnos en privado por resolver el problema. Cuando se tenga que enfrentar con alguien mantenga los siguientes puntos en mente:

1. Un conflicto nos brinda una excelente oportunidad paa servir a los demás. Jesús dijo: "Si te llevan a juicio y te quitan la camisa, dales también el saco. Si te obligan a llevar una carga un kilómetro, llévala dos kilómetros." (Mat. 5:40,41). Sea sensible a las necesidades de los demás en vez de pedir lo suyo.

2. Dedíquese a resolver el conflicto con rapidez, ya que cuanto más tiempo dure más difícil resultará resolverlo.

3. Tome la iniciativa en confrontar a los implicados. No espere que lleguen a buscarle. Jesús hizo alusión a ésto cuando dijo: "Llámalo y dile en privado cuál ha sido su falta." (Mat. 18:15).

4. Aun cuando la hostilidad y la ira estén presentes en el conflicto, evite las discusiones coléricas. "El sabio domina su temperamento, sabe que la ira conduce al error." (Prov. 14:29)

Si mostramos ira en medio de una confrontación, provocamos la ira de los demás, pero si controlamos nuestras emociones durante la confrontación, disminuímos la tensión y la cólera en los que participan en la discusión. Esto facilitará el encontrar una solución satisfactoria.

Resumen del Capítulo

Nadie es inmune al conflicto. Más tarde o más temprano todo líder o gerente de alguna organización, se verá envuelto en alguna forma de conflicto. El conflicto puede definirse como una oposición franca y hostil que se presenta como resultado de puntos de vista opuestos.

Durante un conflicto el énfasis recae siempre sobre la persona misma. Tendemos a promover nuestros deseos y opiniones, mientras que criticamos los de los demás implicados en el problema.

El conflicto produce siempre resultados negativos, tanto a los individuos como a las organizaciones. Por ejemplo, nos hace inventar y exagerar las faltas y las debilidades de los demás; promueve divisiones dentro de la organización y es causa de que gastemos nuestras energías y esfuerzos en actividades que no son productivas.

Por otra parte, los desacuerdos sin hostilidad pueden ser beneficiosos para las personas y para las organizaciones. El desacuerdo es causa de crecimiento de los individuos y de las organizaciones, nos hace conscientes de la necesidad de efectuar cambios y nos hace más tolerables en cuanto a las opiniones que son contrarias a las nuestras.

Las personas emplean varios métodos para enfrentarse a los conflictos. Algunos evitan el conflicto evadiéndolo o retrasando el resolver las causas reales. Algunos tratan las causas secundarias y evitan afrontar las verdadeas causas del conflicto. otros dirigen su atención a las causas menos importantes, que no tienen nada que ver con el problema. Ninguno de estos métodos da resultado y más bien aumentan el problema en vez de resolverlo.

La forma adecuada de resolver el conflicto es atacarlo de frente, averiguando cuáles son las causas y resolverlas de una en una hasta alcanzar una solución satisfactoria. Sin embargo, esta forma obliga al dirigente a resolver la confrontación de forma adecuada.

Cuando se trata de una confrontación, primero esté seguro que conoce todos los hechos y que no se basa en suposiciones. Trate también de resolver el problema en privado, con la participación exclusiva de los implicados en el asunto. En caso de no poder resolverlo solamente con los implicados, busque ayuda exterior de carácter neutral.

Siempre tenga presente que el conflicto es una oportunidad excelente para servir a los que se encuentran implicados en el mismo. Dedíquese a resolver el asunto de manera rápida. Cuanto más tiempo se retrase, más difícil será encontrar la solución satisfactoria. Tome también la iniciativa enfrentando a los que se encuentran involucrados; no espere que le vengan a buscar. Mantenga controladas sus emociones. Recuerde que la hostilidad siempre está presente en el conflicto. Cuanto más hostilidad muestre usted, más enojados se hallarán los demás involucrados en el conflicto.

Aplicación Personal

1. Con la ayuda de su personal o de sus iguales evalúe la organización observando sectores de posibles conflictos.

2. Busque soluciones y emplee medidas correctivas ahora. No espere a que se manifieste el conflicto.

3. Si usted se encuentra frente a un conflicto en la actualidad, aplique los principios de confrontación esbozados en este capítulo.

4. Asegúrese de que sus actos demuestran un espíritu de amor y no de ira ni de hostilidad.

14
Un Estilo de Liderazgo
Efectivo

¿Cuál es el papel determinante que el liderazgo desempeña en el éxito o fracaso de una empresa? Esta pregunta ha sido tema de numerosas discusiones, debates y conferencias en los círculos de dirigentes y administradores durante los años recientes. Me ha tocado observar que el estilo del dirigente ejerce una influencia importante en la forma de operar de una organización y en su nivel de producción.

Estudiemos el Papel del Líder en Detalle

Ezequiel 34 nos da un ejemplo excelente de cómo el estilo y la actitud influencian a la gente y a la productividad de una organización.

"Hijo del hombre, profetiza contra los pastores que se alimentan a sí mismos en vez de a sus rebaños. ¿No debieran los pastores de alimentar a sus ovejas? Comen la mejor comida y llevan la ropa más fina, pero dejan que sus rebaños pasen hambre. No han cuidado de los débiles ni atendido a los enfermos ni vendaron los huesos rotos ni fueron a buscar las que se habían descarriado y están perdidas. En vez de eso las han dominado con fuerza, violencia y crueldad. Y así ellas fueron esparcidas, sin pastor. Han llegado a ser presa de cada animal que pasa." (v. 2-5)

Algunos principios muy importantes del liderazgo se enuncian aquí.

El líder no deberá explotar a los que trabajan bajo su dirección. El servir a los intereses propios mientras descuidamos las necesidades de la gente que nos sirve es ofensivo a Dios. El señalará con desaprobación a los que optan por ese estilo de liderazgo.

El líder deberá buscar la mejor manera de servir a los que le sirven. Las gentes tienen muchas necesidades que merecen ser atendidas. Los débiles deben ser fortalecidos y apoyados. Los enfermos necesitan ser curados. Los descarriados vueltos al redil, debiendo encontrar a los que andan perdidos. Los jefes de Israel, de los tiempos de Ezequiel, no cubrían ninguna de esas necesidades, sino que empleaban el poder para ser crueles y duros con la gente. Tenga presente que el verdadero líder emplea su puesto y su autoridad para servir a las necesidades de los demás, no para las propias, ni para obligarles a servir.

El buen líder o dirigente está constantemente buscando la manera de ayudar a su gente, para facilitarles la tarea, que tenga un significado más profundo, que les satisfaga más y que sea productiva.

El líder deberá servir con deseo y entusiasmo. "Alimenten el rebaño de Dios; cuiden de él voluntariamente, no a regañadientes; y no por ambiciones económicas, sino porque desean servir al Señor." (1 Pedro 5:2) El verdadero líder no se lamenta de sus responsabilidades con respecto a servir a las necesidades de sus subordinados.

El líder deberá dar muestras de ánimo y que éste sea tal que la gente quiera seguirlo. En Ezequiel vimos que los jefes emplearon su puesto para satisfacer sus necesidades y deseos a expensas de las gentes, habiendo además sido duros y crueles con la gente, que se encontraban "esparcidas, sin pastor. Han llegado a ser presa de cada animal que pasa." (34:5). Observe que el uso excesivo de la autoridad y el no cubrir las necesidades de las gentes los ahuyentó. Este principio es valedero lo mismo para la iglesia de la esquina que para la fábrica que está en esa misma calle. La gente se resiente por el empleo de una autoridad excesiva por parte de los jefes.

El Nuevo Testamento nos dice que evitemos dominar a los que se encuentran por debajo de nosotros. "No los traten despóticamente, sino guíenlos con el buen ejemplo. Así, cuando el Príncipe de los pastores vuelva, ustedes participarán eternamente de su gloria y honor." (1 Ped. 5:3) Los líderes deberán ser un ejemplo que los demás deseen imitar. ¿Cómo se puede lograr esto? Como dice el capítulo 1: "Si les das una respuesta agradable y prometes ser bondadoso con ellos y servirles bien, podrás ser rey para siempre." (1 Rey. 12:7). Las gentes sirven y siguen al líder que primero atiende a sus necesidades.

El Ingrediente Básico de los Diversos Estilos de Liderazgo

El estilo de liderazgo depende de la manera como se emplea la autoridad. Como lo muestra la fig. 21, la autoridad desempeña un papel importante en determinar el estilo de liderazgo que se está empleando.

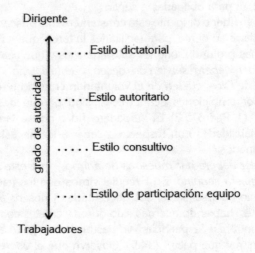

Fig. 21: El grado en que se divide la autoridad entre los dirigentes y los trabajadores, contribuye a determinar el estilo del dirigente.

En Exodo 18 Moisés transfirió su autoridad o el poder de decisión a nuevos líderes recién elegidos por debajo de él.

En un principio Moisés fue un líder muy autoritario, tomando para sí todas las decisiones importantes a favor del pueblo (v. 13-16).

Pero aconsejado por su suegro, Moisés se dio cuenta de la necesidad de transferir parte de su autoridad a otros jefes que se responsabilizasen ante él (v. 17:22). En el estilo de liderazgo que adoptó, Moisés delegó la mayor parte de su autoridad sobre los asuntos de la vida diaria de la nación.

La cantidad de autoridad que usted retenga y el tipo de decisiones que usted tome a favor de su personal determinará el estilo del liderazgo. Por consiguiente, si usted desea averiguar cuál es su estilo, observe la manera en que emplea su autoridad. ¿Toma usted mismo la mayoría de las decisiones que afectan a su gente? ¿O más bien delega usted una parte importante de su autoridad a aquellos que se encuentran a sus órdenes?

El estilo del liderazgo influye también la forma de emplear los recursos humanos. Algunos estilos de liderazgo estimulan a los empleados, entusiasmándoles para que tomen parte activa en el planeamiento, en la solución de problemas y en la toma de decisiones. Otros estilos tienden a limitar la participación del empleado en estos aspectos.

Por regla general, cuanto más autoritario se es, menos se sentirá inclinado a emplear las ideas creadoras de los demás. Usted hace uso de los músculos de los empleados en lugar de utilizar sus mentes.

El estilo de liderazgo ejerce una influencia sobre la manera que tiene de relacionarse con la gente. Cuanto más autoritario es el estilo más se distancia el líder de sus empleados. Algunos estilos sostienen la idea de que los otros trabajan para el jefe, pero hay otros que afirman que usted trabaja *con la gente.*

El estilo del líder influye también en la clase de comunicación que existe entre el dirigente y sus empleados. Cuanto más autoritario el estilo, más limitadas serán las comunicaciones, que tienden a ser de una sola dirección, de arriba hacia abajo.

La comunicación se limita a ordenar y dar información en los estilos más autoritarios.

Sin embargo, a medida que los empleados reciben más autoridad y a medida que el jefe trabaja con su gente, la comunicación se vuelve un proceso de 2 vías, el líder pide le ayuden en vez de siempre estar dando órdenes e instrucciones.

Los Diversos Tipos de Estilos de Liderazgo

Las descripciones de los diversos estilos van de lo simple a lo complejo. No obstante trataremos de encontrar una forma práctica y sencilla para ayudarle a determinar los estilos de liderazgo en el seno de su organización.

Los estilos pueden identificarse y caracterizarse por la forma en que se emplea la autoridad, cómo se utilizan las mentes y los músculos y la relación existente entre el dirigente y la forma en que se comunica con los que están a sus órdenes. Los 4 estilos descritos en la fig. 21, son:

- El Dictatorial
- El Autoritario
- El Consultivo
- El de participación (estilo equipo)

El Estilo Dictatorial

Como su nombre lo indica, el líder o dirigente que emplea este estilo es un dictador. Toma todas las decisiones, de cómo, cuándo, dónde y la manera de hacer las cosas y quién las va a hacer. Las personas que no llevan a cabo sus intrucciones son disciplinadas con severidad.

Daniel 2: 1-13 nos da un ejemplo del dictador en acción. El Rey Nabucodonosor tuvo una aterradora pesadilla y ordenó a sus magos hechiceros y astrólogos que se la explicaran a pesar que no la recordaba. Cuando los sabios que lo rodeaban le dijeron que lo que pedía era imposible. El rey se puso furioso y los amenazó con la muerte, si no le interpretaban el sueño y su significado.

El líder dictatorial tiene los siguientes rasgos:

- Se guarda para sí el poder de tomar decisiones.
- No es realista en sus exigencias de tabajo, pidiendo lo imposible.
- Emplea disciplinas exageradas y castigos para quienes desobedecen sus órdenes o no las cumplen a su entera satisfacción.
- No permite que ninguno ponga en duda sus decisiones o autoridad.

El Estilo Autoritario

Pocos son los líderes que de manera constante se portan de manera dictatorial. Pero sí hay muchas personas que adoptan el estilo autoritario.

Saúl, el primer rey de Israel, nos muestra un ejemplo interesante de un líder autoritario en acción. Saúl era un líder muy decidido, que empleaba su posición y su autoridad para motivar a la gente que lo siguiera en el campo de batalla (1 Sam. 11). No obstante, pronto excedió su autoridad, habiendo ofrecido sacrificios sacerdotales (cap. 13). Más tarde sus decisiones arrebatadas y su orgullo fueron la causa de que su hijo Jonatán muriese. (cap. 14).

Saúl estaba decidido a recibir ayuda de un muchacho cuando era en beneficio suyo (cap. 17) pero en general actuaba como un jefe autoritario, que no permitía a ninguno compartir ni su poder ni su posición (caps. 18-27). Los rasgos característicos del líder autoritario son:

- No permite a los demás decidir, ya que siente que su experiencia y su calidad de experto le hacen el más apto para ello.
- Considera que sus opiniones son las de más valor.
- Critica a menudo las opiniones y decisiones que difieren de la suya.
- Con frecuencia desconfía de la habilidad de los demás.
- Rara vez demuestra agradecimiento a los empleados por un trabajo bien hecho.
- Hará uso de las ideas de los demás solamente cuando coincidan con las suyas.
- Se ofende con las personas que se muestran en desacuerdo con su opinión.
- Con frecuencia se aprovecha de los demás para beneficio propio.
- Se encuentra siempre dispuesto a la acción y listo para competir.

La debilidad más sobresaliente del líder autoritario es que le resulta imposible reconocer las habilidades y los dones de sus gentes. Les niega la oportunidad de poder emplear sus habilidades al planear o tomar decisiones. Por otra parte, su mayor fuerza reside en su habilidad para entrar en acción cuando conviene.

El Estilo Consultivo

El estilo consultivo del liderazgo está encaminado a emplear las ideas y habilidades de los demás para formular planes y tomar decisiones. En la mayoría de los casos los líderes que emplean este estilo de dirección retienen el derecho a tomar la decisión final. No obstante, no toman decisiones importantes, sin pedir ayuda a aquellos que van a verse afectados por las decisiones.

En Hechos 6:17 encontramos un excelente ejemplo del tipo del liderazgo consultivo en acción. Conforme la iglesia creció, las necesidades de algunos no fueron atendidas (problemas que se observan hoy en las iglesias en vías de desarrollo.)

Cuando los judíos de Grecia les indicaron que algunas de las viudas estaban descuidadas, los doce apóstoles les pidieron que escogieran a siete hombres que se encargaran de suplir sus necesidades. Este pasaje nos sugiere varios principios importantes del liderazgo que muestran con claridad el estilo consultivo del mismo en acción.

Primero: Los líderes hicieron que los afectados por el problema le buscasen una solución. El estilo consultivo del liderazgo siempre trata de interesar a los que tienen un problema a fin de que hallen la solución por medio de sus propias ideas. Esto contribuye a crear líderes y les estimula a tomar decisiones.

Segundo: Los líderes hicieron que todos trabajasen juntos en la solución del problema. El estilo consultivo del liderazgo se dedica a formar un equipo. Las personas aprenden a trabajar en grupo y a aunar sus esfuerzos en un proyecto.

Tercero: Los dirigentes se reservaron el derecho a pasar revista al proyecto y a tomar la decisión final. En este estilo de liderazgo se solicitan las ideas de los demás. Sin embargo, el líder retiene el derecho a tomar la decisión final.

Cuarto: Los líderes pudieron dedicar su atención a otros proyectos de importancia mientras reunían la información necesaria para resolver el problema de las viudas. En esto está la fuerza mayor del liderazgo consultivo, en hacer que otros participen en las actividades y en resolver problemas y su planeamiento, al líder le queda más tiempo para concentrarse en aspectos más importantes de su labor.

- El líder consultivo pide colaboración a los subordinados de manera regular
- Nunca toma decisiones sin pedir la colaboración de los que se verán afectados por la decisión.
- Se esfuerza en mostrar su agradecimiento de manera adecuada.
- Se muestra dispuesto a delegar la responsabilidad de decidir,
  pero retiene el derecho al veto.
- Trata de pesar todas las alternativas que le sugieren antes de decidir y enseguida explica por qué algunas ideas no se utilizaron.

El Estilo de Participación

Este es un estilo de liderazgo que es único y muchos líderes se sienten incómodos cuando lo emplean. En él, el dirigente delega la mayor parte de su autoridad, pero no toda al equipo. No obstante, sigue siendo el líder del equipo.

Los rasgos característicos de este estilo son:

- Los miembros del equipo se consideran iguales al líder en términos de opiniones e ideas. Esto significa que las ideas de todos poseen igual valor.
- El líder representa el papel de un jugador-entrenador y se vuelve el proveedor del equipo.
- El líder con frecuencia, no siempre, acepta las ideas del equipo, aunque difieran de las suyas.
- El líder se dedica a promover la creatividad y la innovación dentro del equipo.

No Existe el Estilo "Correcto" de Liderazgo

En su mayoría los entrenadores y asesores acostumbran a considerar a un estilo de dirigente como el correcto y el que se debe aceptar. Yo opino que no existe un estilo correcto. El buen dirigente o entrenador aprende cómo y cuándo debe de emplear cada uno de los estilos de liderazgo que se han discutido en este capítulo.

Jesús empleó varios estilos de acuerdo con las circunstancias en que se encontró. Empleó el estilo dictatorial cuando expulsó a los mercaderes del templo. (Juan 2: 13-16)

Tal vez dé la impresión de que éste no fue un acto de líder en sí, ya que aquellos no eran Sus seguidores. No obstante, como Jesús dijo entonces, estaban profanando la casa de Su Padre (v.16). Por lo tanto tenía que reaccionar y la situación exigía una respuesta, una acción enérgica inmediata. No para consultas entre Jesús y sus discípulos o entre Jesús y los mercaderes.

que los discípulos participen como parte de Su equipo. Les dio autoridad paa hacer muchas de las labores que El había estado haciendo en las aldeas que visitaba (Mat. 10:1-15). Así vemos que Jesús era un líder que sabía cuándo y cómo adoptar los distintos estilos de líder para hacer su labor con más efectividad. Bien haríamos, en seguir su ejemplo.

Cuándo Emplear los Estilos de Liderazgo

El estilo dictatorial es apropiado:

- En circunstancias extremas o crisis cuando la seguridad de las personas está en juego.
- Cuando se requiere una acción disciplinaria apropiada.

El líder debe tener presente que este estilo de liderazgo constituye una excepción a la regla y solamente se debe usar en emergencias y de manera temporal.

El estilo autoritario se impone:

- Cuando los empleados de manera constante hacen mal uso de la autoridad.
- Con empleados nuevos que no se encuentran familiarizados con los detalles de sus empleos.
- Cuando los reglamentos y disposiciones de la organización han sido transgredidos.
- Cuando usted es el único responsable de tomar y llevar a cabo una decisión.

El estilo consultivo es el apropiado:

- En el proceso de planeamiento del departamento u organización.
- Cuando se necesita la solución de problemas en forma

creativa.

- En el adiestramiento de personas para desempeñar puestos de responsabilidad como jefes.
- Cuando se están llevando a cabo muchas de las tareas diarias de la organización.

El estilo de participación como equipo es el apropiado:

- Cuando las personas aprenden a desempeñar sus responsabilidades rutinarias con soltura.
- En las sesiones de planeamiento de la organización.
- Durante las sesiones de evaluación de la organización.
- Cuando se necesita continuar motivando a un personal altamente preparado, que siente que se ahoga en su trabajo rutinario.
- En cualquier momento que sea preciso obtener un rendimiento altamente creador e innovador.

Cómo el Estilo del Liderazgo Tiene Impacto Sobre la Productividad

Los efectos del liderazgo pueden dividirse en efectos a corto plazo y a largo plazo. Un liderazgo autoritario durante un espacio corto de tiempo puede producir muy buenos resultados. Sin embargo, por regla general, el empleo excesivo de la autoridad durante un período de tiempo prolongado tiende a **disminuir** la producción de forma considerable.

Por otra parte, un estilo de participación de equipo tiende a ser no productivo cuando se usa durante un período corto de tiempo. Sin embargo, cuanto más tiempo se emplea este tipo de liderazgo más aumenta la producción.

El líder no deberá decepcionarse si observa un descenso inicial en la productividad al cambiar de estilo para adoptar una forma de participación. La producción comienza siendo baja pero va en aumento conforme los trabajadores tienen la oportunidad de trabajar con un liderazgo al estilo de equipo.

Es de lamentar que muchos dirigentes no estén dispuestos a darle al estilo de participación o de equipo, tiempo de estabilizarse, por sufrir una baja inicial de la productividad. Pero sobre un lapso de tiempo más prolongado nos ofrece la mejor manera para lograr una organización altamente productiva.

Manera de Planear el Estilo de Liderazgo de su Propia Organización

La forma siguiente está destinada a ayudar a los líderes y organizaciones a determinar sus estilos de liderazgo. Para lograr mejores resultados, esta forma deberá ser llenada por todos los empleados a lo menos una vez al año para determinar si la forma del liderazgo está cambiando.

El empleo de la forma que se muestra en la fig. 22 es una manera ideal para que el líder pueda determinar y clasificar su estilo de liderazgo. Anote los promedios en una tarjeta "maestra" en la que se unen los promedios anuales por medio de una línea, que con sus alzas y bajas, nos muestra la evolución de la organización hacia una forma de liderazgo de participación más eficaz. (Véase la fig. 23. La forma tiene la clave como sigue: En las 3 páginas a continuación.)

SISTEMA 1 ‖ Estilo Dictatorial
SISTEMA 2 ‖ Estilo Autoritario
SISTEMA 3 ‖ Estilo Consultivo
SISTEMA 4 ‖ Estilo de Participación o de Equipo

Es preferible dejar estos estilos sin identificar en la forma que se llene para evitar "programar" las respuestas hacia una columna en especial.

El líder deberá tener presente que hay momentos cuando cada uno de estos estilos debe ser empleado. Por lo demás, debe de trabajar siempre encaminado a tratar de establecer un estilo de más consultas o de participación como equipo a fin de alcanzar a largo plazo un aumento en la productividad.

Si se decide que sus empleados llenen el formulario para determinar el estilo de liderazgo de la organización, no se olvide de compartir los resultados con ellos. Las personas se sienten explotadas cuando se les pide colaboración y no se les dicen cuáles han sido los resultados.

Resumen del Capítulo

El líder deberá tener presente que el estilo del liderazgo desempeña

INSTRUCCIONES:
Colóquese una "A" en el lugar que ocupa su empresa en el momento actual (A = ahora). Además si ya cumplió 1 año de trabajar allí coloque una (P = Previo) en cada línea que indique que lugar ocupaba su organización antes. En caso que Ud. no tenga el año de trabajar marque aquí _____ .

	sistema 1	sistema 2	sistema 3	sistema 4
PLANEAMIENTO Los empleados se ocupan del proceso	raras veces	algunas veces	con fecuencia	siempre
La resistencia oculta a la meta es:	fuerte	moderada	ocasional	casi ninguna
El número de empleados que conocen los planos de la empresa es:	casi nadie	pocos	la mayoría	todos
Existe el planeamiento	arriba	arriba y medio	es más general	a todo nivel
MOTIVACION Los empleados sienten que no les confian	la mayoría	pocos	a veces	rara vez
Los subordinatos tienen derecho a decidir en su trabajo	casi ninguna	un poco	generalmente	siempre
Los subordinados se sienten dueños de los planes.	rara vez	a veces	con frecuencia	siempre
A los empleados se les reconoce el trabajo.	casi ninguno	algo	generalmente	siempre
COMUNICACION Los empleados hacen sugerencias y señalan problemas.	rara vez	a veces	generalmente	siempre
Los jefes conocen los problemas y necesidades.	no bien	algo bien	bastante bien	muy bien
Hay intercambio de información entre los departamentos.	muy mala	no mucha	con frecuencia	continuamente
Se recibe información de otros:	rara	a veces	por regla general	casi siempre
Como utilización de recursos: los superiores piden ideas a los empleados.	rara vez	a veces	por regla general	casi siempre
Las soluciones a los problemas se comparten entre departamentos y proyectos.	casi nunca	de vez en cuando	usualmente	casi siempre

La autoridad para resolver se delega hacia abajo	casi nunca	a veces	con frecuencia	cuando posible
La coordinación del uso del equipo y del material	muy mala	mala	satisfactoria	buena
La duplicación del esfuerzo es:	corriente	a veces	rara vez	casi nunca
Trabajo en equipo es:	rara	a veces	frecuente	casi siempre
Control Tiempo empleado en corregir errores:	mucho	bastante	poco	muy poco
Esfuerzo empleado en señalar y quitar los costos ocultos	no se hace	rara vez considerado	a veces considerado	generalmente considerado
El centro de control de las funciones se encuentra:	arriba solamente	arriba y en medio	algo en nivel inf.	repartido ampliamente
Relaciones: Las relaciones entre empleados y superiores son buenas:	rara vez	a veces	por lo general	casi siempre
Las relaciones entre Departamentos son buenas:	rara vez	a veces	generalmente	casi siempre
Los conflictos tienden a ocurrir:	siempre	con frecuencia	a veces	rara vez
La actitud hacia la autoridad es:	muy mala	mala	promedio	buena
El conflicto se resuelve pronto	rara vez	a veces	generalmente	casi siempre
Los empleados temen el fracaso	casi siempre	a veces	rara vez	muy rara vez
Los empleados tienen una mentalidad positiva	rara vez	a veces	generalmente	casi siempre
Yo pertenezco al siguiente tipo de empleado	administración arriba	administración media	supervisor	no supervisor

Figura 22. Emplée esta hoja para estudiar el estilo del liderazgo en su organización.

INSTRUCCIONES:
Colóquese una "A" en el punto en que su experiencia le indica que es el lugar que corresponde a su organización en la actualidad. Además si Ud. ha trabajado en la organización un año o más, coloque una P en el lugar que según su experiencia le corresponde como estaba previamente (P: previamente) Si Ud. no estaba en la organización hace 1 año señale aquí.____

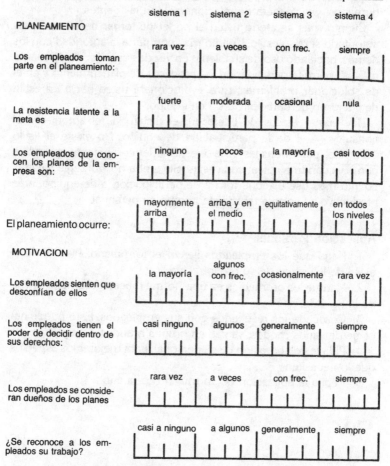

Figura 23. Al marcar los resultados de cada año, una organización puede llevar un récord de su progreso guiado hacia un estilo de liderazgo de participación por equipo.

un papel muy importante en el resultado de la productividad de la empresa. También debe recordar que el papel del líder es el de suplir las necesidades relacionadas con el trabajo de las personas que trabajan a sus órdenes.

Hay tres ingredientes claves que influencian el estilo: la manera de emplear la autoridad, la manera de considerar los recursos humanos, y la manera de relacionarse con las gentes.

Cuanto más se aferre usted al poder de tomar decisiones más autoritario será su estilo. Cuanto más comparta la autoridad con los demás, haciendo uso de su talento en vez de sus músculos y cuanto más les permita participar en los procesos de planeamiento y en el de solucionar problemas, más evolucionará usted hacia un estilo de liderazgo de participación o de equipo.

Hay cuatro estilos de liderazgo: el dictatorial, el autoritario, el consultivo y el de la participación de equipo. No existe el estilo "correcto" para todas las ocasiones. El líder competente aprende a cómo y cuándo emplear cada estilo. Sin embargo, por regla general, cuanto más use usted la forma de participación o de equipo, más productivo se volverá tanto usted como su personal.

Aplicación Personal

1. Haga que los empleados llenen el formulario. Planeando el estilo de liderazgo de su organización.

2. Marque los promedios en una "forma maestra" como lo muestra la fig. 23.

3. Comparta los resultados con sus empleados. Esto puede hacerse de varios modos, ya sea en grupos grandes o pequeños.

4. Pida la colaboración de su personal, para mejorar los aspectos que lo necesiten.

5. Repita la aplicación del formulario cada año.

15
El Papel del Dirigente Cristiano en la Sociedad

Recientemente fui a comer con un amigo que no era cristiano. Me empezó a contar cómo un dirigente cristiano muy conocido en nuestra comunidad había engañado a otra persona, quitándole una propiedad. Conforme discutíamos el incidente me dijo: "¡Myron, yo casi espero esta forma de proceder de mis amigos, pero realmente me indigna cuando uno que asiste a la iglesia hace una cosa semejante."

Me desagradó escuchar sus palabras, pero traté de no demostrar mi frustración. Tuve que admitir que mi amigo tenía razón. Debería escandalizarnos a todos el hecho de que un dirigente o líder cristiano obre igual que una persona que carece de principios cristianos.

Regresando a mi oficina, después de comer con mi amigo recordé las Escrituras que dicen: "En esto tienes que darles el ejemplo. Procuren que sus actos demuestren que aman la verdad y que se han entregado por completo a ella. Su conversación ha de ser tan sensata y lógica que el que discuta con ustedes se avergüence al no encontrar en sus palabras nada que criticar." (Tito 2:7,8).

Debo confesar que en mis viajes por todo el país, trabajando con organizaciones tanto laicas como cristianas, escucho numerosos comentarios semejantes al de mi amigo no cristiano. Demasiados de nosotros hemos olvidado la importancia que tiene la advertencia de Tito 2:7-8.

Los no cristianos que asisten a los lugares de compra y venta en distintas partes del mundo, se forman una opinión acerca de Jesucristo y de su iglesia, observando la manera como los cristianos se comportan en el desempeño de sus responsabilidades diarias. Ni saben ni les interesa saber cómo actuamos el domingo por la mañana, dentro de las cuatro paredes de nuestra iglesia. Por lo tanto, los dirigentes cristianos y los hombres de negocios desempeñan un papel primordial en influenciar la actitud y la opinión de la sociedad moderna acerca del Cristianismo y de Jesucristo.

Una comunidad en un estado del norte decidió construir un edificio para una iglesia. Recolectaron el dinero y contrataron a los subcontratistas. Sin embargo, el proyecto costó más de lo planeado y no tuvieron suficiente dinero para pagarle a todos los subcontratistas.

En vez de obtener un préstamo de dinero, ellos intentaron hacer que los subcontratistas rebajaran sus precios. Uno de ellos me dijo: "Tuve cuatro reuniones con la Junta Directiva de la iglesia para que me pagaran el dinero que me debían, pero jamás me pagaron." El no era cristiano y empleó frases altisonantes al recordar dicho incidente. "Esa experiencia me enseñó una cosa, dijo con una maldición. Nunca más tomaré parte en ninguna oferta para un edificio destinado a ser una iglesia porque esos cristianos no cumplen su palabra ni pagan sus cuentas."

Carl McCutchan, ingeniero que hace algunos años me guió a Jesucristo solía decirme: "Myron, no es lo que dices que haces, sino lo que verdaderamente haces lo que muestra lo que en verdad eres." Jamás olvidé ese consejo tan sabio que me dio mi querido amigo y padre espiritual.

"No imiten la conducta ni las costumbres de este mundo: sean personas nuevas, diferentes, de novedosa frescura en cuanto a conducta y pensamiento. Así aprenderán por experiencia la satisfacción que se disfruta al seguir al Señor." (Rom. 12:2)

Todo líder y dirigente que se precie de llamarse cristiano deberá memorizar este versículo y esforzarse por aplicarlo diariamente.

Como líder y dirigente al dedicarse a sus funciones y ocupaciones diarias tiene usted constantemente la oportunidad de imitar la "conducta y las costumbres de este mundo." Una de las decisiones más importantes que tiene que tomar todos los días es la de si debe adaptarse a las normas humanísticas de la ética mercantil o ser fiel a los principios de Dios en su trato con el prójimo.

Confío en que este libro, en alguna forma, le haya estimulado a aplicar más concienzudamente los diversos principios bíblicos de la administración, que hemos discutido en los capítulos anteriores.

Como ya se indicó con anterioridad, usted desempeña un papel importante en moldear a la sociedad y en hacerla receptiva a la palabra de Cristo. Por tanto, usted debe luchar para ser un vivo ejemplo como líder u hombre de negocios, en el seno de su comunidad, aplicando la palabra de Dios, a su trabajo diario. Al hacerlo descubrirá que tanto cristianos como no cristianos se sentirán animados a glorificar a Dios.

Cómo la fidelidad de un cristiano puede dar alabanza a Dios, aun a través de un no cristiano, se nos ilustra con la visita de la reina de Saba al rey Salomón.

"Cuando la reina de Saba oyó acerca de la forma maravillosa en que Dios había bendecido a Salomón con sabiduría, decidió ir a probarlo con algunas preguntas difíciles." (1 Rey. 10:1)

Observe que la reina de Saba se enteró a la vez de la fama del rey Salomón y de su relación con el Señor. Las personas pronto se dan cuenta cuando alguien aplica constantemente la Palabra de Dios a su vida diaria.

"Pronto comprendió ella que todo lo que había oído acerca de su gran sabiduría era cierto. También vio el hermoso palacio que él había edificado. Y cuando vio los deliciosos manjares sobre su mesa, el gran número de servidores y criados, que estaban vestidos con uniformes espléndidos, los coperos, y los muchos sacrificios que ofrecía a Dios, quedó completamente maravillada. Todo lo que he oído en mi país acerca de tu sabiduría y acerca de las cosas maravillosas que están haciendo -dijo- son verdaderas. Yo no lo creí hasta que vine, pero ahora lo he visto por mí misma. Era verdad. No se me había dicho ni la mitad, tu sabiduría y tu prosperidad superan todo lo que conozco... bendito sea Jehová tu Dios." (1 Rey. 10:4-9).

Observe que la reina había oído informes sobre la manera de gobernar desde su país. Y cuando fue testigo de sus actos y de la manera de dirigir sus asuntos, aplicando la Palabra de Dios a su vida diaria alabó a Dios.

La gente observa tu vida y ve cómo te comportas en tus negocios diarios y una de dos, o alaban a Dios, como lo hizo la reina de Saba, o se escandalizan porque tú no eres diferente al resto de la sociedad.

Mi oración es que tanto usted como su organización o su negocio se vuelvan más efectivos y productivos, como resultado de haber leído este libro. ¡Ojalá que su ejemplo como líder estimule a otros líderes, gerentes y hombres de negocios, cristianos y no cristianos, a que acudan a la Palabra de Dios como orientación en su propio liderazgo diario y en sus prácticas de negocios.